D1253209

PRATICOM Collection dirigée par
SOLANGE CORMIER et ANDRÉ-A. LAFRANCE

Vous désirez avoir de l'information à la fine pointe de votre champ d'action ? Mais vous ne disposez que de peu de temps pour le faire ? Les auteurs de la collection PratiCom ont tenu compte des exigences de votre situation dans la rédaction de leur ouvrage.

Des spécialistes en communication répondent aux questions immédiates des décideurs dans leurs actions quotidiennes et leur planification stratégique. Présentés de façon concise, ces ouvrages peuvent être lus et relus comme une réflexion à moyen terme ou consultés comme une solution urgente à court terme.

Gérer,
c'est CRÉER au quotidien

DANS LA MÊME COLLECTION

Misez sur l'intelligence de vos employés et osez communiquer
8 règles pour réussir la négociation d'une convention collective
Sylvie Lavoie et Marcel Béliveau
2005, ISBN 2-7605-1349-1, 98 pages

Pour une communication efficace
Quoi dire et comment le dire
Claude Jean Devirieux
2007, ISBN 978-2-7605-1480-5, 210 pages

PRESSES DE L'UNIVERSITÉ DU QUÉBEC
Le Delta I, 2875, boulevard Laurier, bureau 450
Québec (Québec) G1V 2M2
Téléphone : (418) 657-4399 • Télécopieur : (418) 657-2096
Courriel : puq@puq.ca • Internet : www.puq.ca

Diffusion / Distribution :

CANADA et autres pays
DISTRIBUTION DE LIVRES UNIVERS S.E.N.C.
845, rue Marie-Victorin, Saint-Nicolas (Québec) G7A 3S8
Téléphone : (418) 831-7474 / 1-800-859-7474 • Télécopieur : (418) 831-4021

FRANCE
AFPU-DIFFUSION
SODIS

BELGIQUE
PATRIMOINE SPRL
168, rue du Noyer
1030 Bruxelles
Belgique

SUISSE
SERVIDIS SA
5, rue des Chaudronniers,
CH-1211 Genève 3
Suisse

NORMAND WENER
SOLANGE CORMIER

Gérer, c'est CRÉER au quotidien

- *Points de repère*
- *Outils de réflexion*
- *Références*

2007

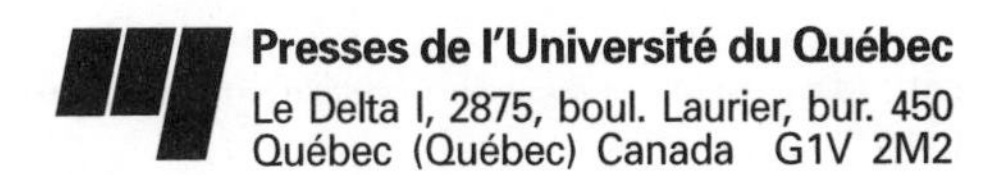

Catalogage avant publication de Bibliothèque et Archives Canada

Wener, Normand, 1942-

Gérer, c'est créer au quotidien

(Collection PRATICOM)
Comprend des réf. bibliogr.

ISBN 2-7605-1446-3

1. Gestion. 2. Communication dans les organisations.
I. Cormier, Solange, 1941- . II. Titre. III. Collection.

HD33.W46 2006 658 C2006-940985-4

Nous reconnaissons l'aide financière du gouvernement du Canada
par l'entremise du Programme d'aide au développement
de l'industrie de l'édition (PADIE) pour nos activités d'édition.

La publication de cet ouvrage a été rendue possible
avec l'aide financière de la Société de développement
des entreprises culturelles (SODEC).

Révision linguistique : LE GRAPHE

Mise en pages : PRESSES DE L'UNIVERSITÉ DU QUÉBEC

Couverture : RICHARD HODGSON

1 2 3 4 5 6 7 8 9 PUQ 2007 9 8 7 6 5 4 3 **2** 1

Dépôt légal – 3e trimestre 2006
Bibliothèque et Archives nationales du Québec / Bibliothèque et Archives Canada
Imprimé au Canada

TABLE DES MATIÈRES

INTRODUCTION

Ce livre est destiné à toutes les personnes qui occupent un poste de gestion, quel que soit leur secteur d'activité. Il intéressera particulièrement celles qui entreprennent, pour la première fois, ce type de carrière dans leur parcours professionnel. Il est le fruit de plusieurs années de recherche, d'enseignement, de gestion, d'intervention dans diverses organisations et, surtout, de réflexion sur des pratiques quotidiennes dans différents contextes de travail.

Nous ne reprenons aucune recette à la mode, pas plus que nous n'apportons de réponses toutes faites. Notre expérience nous a en effet démontré que chaque organisation est particulière et que chaque gestionnaire possède des caractéristiques très personnelles. Voici plutôt quelques points de repère qui vous seront utiles dans le cours de votre carrière, des outils de réflexion pour mieux comprendre votre environnement et quelques références pour approfondir certaines situations cruciales. Ce petit livre, croyons-nous, devrait être gardé à portée de main.

D'entrée de jeu, nous présentons les convictions fondamentales qui colorent l'ensemble de nos propos. La gestion au quotidien n'est pas une science, mais un art. De ce fait, le principal outil de travail du gestionnaire est sa propre personne. Essentiellement, « gérer, c'est créer », jour après jour et sans relâche, surtout dans un monde en changement à la fois rapide et constant.

Ajoutons que le succès de toute gestion, aujourd'hui, réside en grande partie dans la qualité des communications. Vos collaborateurs, de mieux en mieux formés, exigent une plus grande autonomie, les femmes sont de plus en plus nombreuses et occupent des postes clés[1], la pluralité culturelle caractérise votre équipe. De plus, les informations importantes pour le développement de votre organisation sont maintenant accessibles à quiconque veut bien les saisir, les comprendre et les utiliser. Une gestion traditionnelle reposant sur la croyance que « tout vient d'en haut » laisse donc présager crises et décadence.

Bonne réflexion et surtout bonne intervention. Faites-vous confiance !

---

1. Pour que notre livre reflète cette réalité, nous avons opté pour une formule de féminisation particulière. Les sections paires sont écrites au masculin, tandis que les sections impaires le sont au féminin.

ENTRER EN POSTE

En ce beau lundi matin d'automne, vous vous dirigez vers un bureau encore inconnu pour entreprendre vos nouvelles fonctions. Vous êtes un peu fébrile ; on le serait à moins. Vous avez franchi avec succès toutes les étapes menant à votre nomination, avec les émotions qui les accompagnent : le dépôt de votre candidature, la présélection, le choix final, les rêves et les craintes, l'attente – toujours interminable – des résultats, les nuits au sommeil léger, la confirmation de votre nomination, la rencontre d'accueil, les réjouissances, etc. Subitement, votre ancien travail a perdu beaucoup de son importance, ce qui se comprend facilement.

Dès votre arrivée au travail en tant que gestionnaire, vous entamez ce qu'on pourrait appeler la période de grâce du débutant. Pendant quelque temps, on fera preuve d'indulgence à votre égard. On tolérera ainsi quelques maladresses de votre part, qu'on attribuera facilement à votre ignorance des habitudes de l'organisation. Par exemple, si vous adoptez une attitude inappropriée au contexte organisationnel, on se dira : « Elle ne sait pas encore qu'ici ça ne se fait pas. » Profitez bien de ce moment tout en étant vigilante, car ce temps de grâce ne dure que quelques jours, tout au plus quelques semaines. La réalité de l'organisation dans sa vie quotidienne va vite vous rattraper.

Durant les premiers jours vous ferez sans doute une visite des lieux pour rencontrer vos futurs collaborateurs. La première impression que vous donnerez sera déterminante pour la suite de votre mandat, car elle s'incrustera profondément dans la mémoire de votre personnel. Votre façon de vous habiller, de saluer, de sourire, d'écouter et de parler aura des conséquences importantes avec lesquelles vous devrez composer par la suite. On parlera de ce premier contact, on le commentera et on s'en souviendra longtemps.

Modalités de nomination

Pour mieux comprendre l'ensemble de ces réactions, il faut tenir compte de la façon dont vous êtes parvenue au poste que vous occupez. Les réactions de vos nouveaux collaborateurs peuvent différer grandement selon les modalités de votre nomination.

- Venez-vous de l'interne (promotion) ou de l'externe ?

  ____

  ____

- Avez-vous été nommée par la direction, à la suite du travail d'un comité de sélection ?

  ____

  ____

- Avez-vous été élue par une majorité d'employés ou de membres, ou encore nommée à la suite d'une large consultation ?

  ____

  ____

Une autre dimension importante de votre entrée en poste est liée à la personne que vous remplacez.

- Succédez-vous à un gestionnaire qui a pris sa retraite, qui s'est dirigé vers un autre emploi, qui a dû partir pour des raisons de maladie ou à quelqu'un qui a été congédié pour incompétence ?

  ____

  ____

- Le gestionnaire à qui vous succédez était-il très apprécié de son personnel, détesté pour sa gestion autoritaire ou, au contraire, critiqué pour son laisser-aller ?

  ____

  ____

Si l'accueil qu'on vous réserve est lié au contexte entourant votre nomination, soyez consciente qu'on vous jugera en fonction des habitudes de gestion de votre prédécesseur. Votre arrivée représente à coup sûr un changement, si léger soit-il. Or tout changement provoque des réactions, comme nous le verrons à la section 4. Pour le moment, il faut se rappeler que la première tournée dans l'organisation suscite toujours des réactions importantes dont il faut tenir compte. Autant la première impression que vous laisserez chez les personnes rencontrées sera durable, autant vos premières impressions de ces personnes seront déterminantes. Faites donc confiance à vos premières impressions !

Types de collaborateurs

Votre arrivée comme nouvelle gestionnaire suscite, dès le début, diverses réactions. On peut ainsi regrouper vos collaborateurs en trois catégories :

- les personnes qui, d'emblée, vous trouvent sympathique et comptent sur vous pour améliorer, de manière significative, leur situation personnelle et l'organisation ;
- les personnes qui doutent de vos compétences et regrettent l'ancien mode de gestion;
- les personnes qui tardent à se faire une idée ; elles attendent que vous fassiez vos preuves avant de croire que vous êtes en mesure d'apporter une amélioration notable à leur situation de travail.

Pour bien cerner la situation sous cet angle, posez-vous les questions suivantes.

- Quelles personnes se trouvent dans chacune de ces trois catégories ?

  ____

  ____

- Y a-t-il des leaders d'opinion dans chacun de ces groupes ? Si oui, qui sont ces personnes ?

  ____

  ____

- Quels sont les liens entre les clans qui se forment selon ces trois catégories ?

  ____

  ____

Dès les premiers contacts vous commencez à connaître l'organisation. Prenez-en bonne note, car vos premières impressions ne sont certainement pas dénuées de fondements.

Dans les faits, vous êtes appelée à jouer un *rôle*, qui est nouveau pour vous, mais déjà connu dans l'organisation. Un rôle est un ensemble d'attentes de l'organisation et des personnes qui y travaillent à l'égard de la personne occupant un poste donné. Les réponses à ces attentes de la part de la nouvelle personne à ce poste sont sanctionnées, c'est-à-dire récompensées, punies ou tolérées temporairement.

Certaines de ces attentes liées au rôle sont codifiées et érigées en système. C'est le *volet formel* du rôle, dont la majeure partie se trouve consignée dans votre description de poste. Vous estimez peut-être que cette description est trop détaillée et comporte des tâches d'inégale importance. Vous avez sûrement raison. Vous vous demandez même comment vous pourrez vous acquitter de toutes ces tâches en des semaines de 35 heures. Par insécurité ou par un souci excessif d'ordre, on a souvent tendance à détailler à l'extrême les descriptions de tâches. Ne vous laissez donc pas trop impressionner.

Votre rôle comporte une autre dimension souvent ignorée, le *volet informel*. Il s'agit des attentes de chacune des personnes qui vous entourent maintenant. Ces attentes résultent à la fois des frustrations de ces personnes et de leurs satisfactions antérieures. Vos collaborateurs expriment plus ou moins directement leurs attentes dès leurs premiers contacts avec vous. N'oubliez pas que ces attentes peuvent souvent être excessives et contradictoires entre elles ou par rapport au volet formel de votre rôle.

Par exemple, l'une de vos responsabilités consiste à coordonner diverses unités de production de biens ou de services. Vos grands patrons attendent un travail efficace et rentable ; certains employés souhaitent une répression à la fois immédiate et durable des comportements délinquants de certains de leurs collègues ; d'autres espèrent obtenir une plus grande marge de manœuvre afin de pouvoir prendre plus d'initiatives. Que faire ? Comment concilier ces attentes plus ou moins divergentes ? On baigne en pleine complexité !

C'est pourquoi, à cette étape, il est important pour vous de bien saisir ces attentes, de les faire préciser et d'éviter de faire des promesses que vous ne pourrez tenir. Et, surtout, ne vous demandez pas de répondre à toutes ces attentes.

Un détour par la motivation permettra de mieux comprendre pourquoi et comment des individus acceptent de jouer des rôles en dépit des contraintes qui leur sont inhérentes. On pourra ainsi définir les marges de manœuvre dont ces individus disposent.

Satisfaction des besoins

Chaque personne est mue par le désir de satisfaire ses besoins physiques et psychologiques. Elle doit bien sûr se nourrir et se loger en toute sécurité. Tenons pour acquis que ces besoins physiques trouvent satisfaction chez les membres de votre organisation. Dès lors, trois besoins psychologiques fondamentaux retiennent notre attention :

- le besoin de considération (ou d'aimer et d'être aimé, lié à l'« être ») ;

- le besoin de compétence (ou de produire, lié au «faire»);
- le besoin de cohérence (ou de comprendre, lié au «savoir»).

Or ces besoins sont infinis, en ce sens qu'on ne parvient jamais à les satisfaire pleinement; la satisfaction d'un besoin en engendre un autre de niveau supérieur. De plus, chaque personne a une tendance innée à rechercher la satisfaction de ses besoins. Fondamentalement, cette tendance nous apparaît comme le moteur essentiel de la vie sociale. Chaque personne entre en contact avec ses semblables, tant dans sa vie privée que dans sa vie professionnelle, pour satisfaire ses besoins fondamentaux. Ainsi, chacun de vos collaborateurs, et vous-même, voulez satisfaire ces besoins. Un individu ne se désintéresserait donc totalement de son travail que si ses besoins étaient comblés ailleurs, ce qui est plutôt rare.

Ce détour un peu plus abstrait étant fait, revenons à l'exercice de votre rôle au quotidien. Vous-même et chacun de vos collaborateurs avez besoin d'être appréciés pour votre travail, de vous sentir compétents dans vos fonctions et de comprendre le sens et la portée de votre contribution à l'organisation. Pour tout gestionnaire, oublier cette donnée de base concernant la motivation équivaut à se préparer des lendemains difficiles.

Envisagé dans la perspective de la motivation, le rôle présente des façons particulières de répondre à des besoins fondamentaux. Ce sont des façons parmi beaucoup d'autres de répondre à ces besoins, mais ce sont celles que vous offre votre organisation. Non seulement elle vous les offre, mais elle va en quelque sorte vous inciter fortement, sinon vous contraindre, à les adopter. Deux mécanismes principaux sont mis en œuvre à cette fin : la socialisation et le contrôle social.

La « socialisation » désigne ce mécanisme par lequel on apprend et on intériorise les éléments socioculturels de son milieu ; on les intègre par la suite à la structure de sa personnalité pour s'adapter à son environnement social. C'est donc dire que, jusqu'à un certain point, notre environnement de travail nous transforme.

Le « contrôle social » est constitué des pressions que les membres de l'organisation exercent pour que vous vous conformiez à votre rôle social, c'est-à-dire à leurs attentes, lesquelles correspondent à des réponses à leurs besoins. La non-conformité à ce rôle est alors sujette à des sanctions. Ce mécanisme vient renforcer celui de la socialisation et combler ses ratés.

Adaptation au rôle

Ces deux mécanismes, qui opèrent de manière insidieuse, sont plus puissants qu'il n'y paraît à première vue. Cependant, aucun rôle ainsi prédéterminé et en quelque sorte imposé ne peut correspondre parfaitement à votre personnalité et répondre, de manière vraiment satisfaisante, à vos besoins fondamentaux. Il existe toujours une distance importante entre le rôle que vous avez accepté de jouer, souvent sans savoir ce qu'il impliquait vraiment, et vous dans votre intégrité spécifique. Après avoir pris connaissance des contours véritables de ce rôle, vous devrez faire différents choix selon trois axes : la soumission, le rejet et la transformation.

Dans le même ordre, vous avez le choix entre…

- adopter intégralement ce rôle qu'on vous impose, vous y modeler;
- rejeter ce rôle et quitter l'organisation;
- modifier progressivement ce rôle pour l'adapter à votre personnalité.

Vous engager dans la troisième voie avec succès exige une connaissance très précise de vous-même. Il est important, entre autres, que vous connaissiez bien *votre* propre mode de gestion et votre style de communication. Vous trouverez des grilles d'analyse à cette fin à la section suivante.

2

FAIRE **CONNAÎTRE** SON **MODE DE GESTION**

Au cours de votre tournée des personnes et des lieux qui constituent maintenant l'environnement de votre nouveau travail, vous avez, à la fois volontairement et sans vous en rendre compte, fourni des indices à propos de votre mode de gestion. Les personnes rencontrées tiendront compte de ces indices et modifieront un peu leurs attentes à votre égard.

Modes de gestion

Pour mieux comprendre les attentes que vous suscitez, il importe que vous puissiez bien définir votre mode de gestion. Voici quelques questions pertinentes à cet effet.

- Dans quelle mesure êtes-vous porteur d'une vision partagée du devenir de l'organisation, une vision construite dans la consultation et le respect de la diversité ?

  ____

  ____

- Quel est le degré de transparence de votre gestion à l'égard de vos collaborateurs (agenda caché) ?

- Êtes-vous à l'écoute de chacun des membres de votre organisation et non seulement des personnes influentes ou de celles qui peuvent vous causer des problèmes ?

- Dans quelle mesure êtes-vous ouvert à l'opposition exprimée au cours de discussions franches ?

- Manifestez-vous à la fois de la fermeté relativement aux visées essentielles de vos projets et une grande souplesse quant aux moyens d'atteindre ces visées ?

- Avez-vous une idée claire des responsabilités de chacun, ce qui vous permet de ne pas vous ingérer dans le domaine d'action de vos collaborateurs ?

- Quel est le degré de cohérence entre votre discours et vos actions ?

Vos réponses à ces questions vous permettront de mieux cerner le mode de gestion que vous appliquez avec vos collaborateurs et dont ils se souviendront. En effet, nommer correctement, c'est, pour notre conscience, faire exister et ouvrir la possibilité de contrôle.

Les types de personnalité publique

À un autre niveau, plus en profondeur, se trouve votre *type de personnalité publique*, autrement dit votre «soi public». Il s'agit du genre de personnalité que vous manifestez dans vos communications avec les personnes qui vous entourent dans l'ensemble de votre vie, plus particulièrement dans votre vie au travail. Au cours des trente dernières années, plusieurs études ont été effectuées à ce sujet aux États-Unis et au Québec. On est ainsi parvenu à élaborer des typologies qui soulignent les différences entre les personnes. L'une d'elles décrit quatre types de personnalité publique qui se manifestent dans leurs communications. Avant de vous présenter ces différents types, certaines mises en garde s'imposent.

Il nous faut d'abord affirmer haut et fort que cette typologie ne comporte aucun jugement moral. Aucun de ces types de personnalité publique n'est meilleur ni pire que les autres. Les quatre types sont différents et chacun peut très bien convenir dans un contexte particulier. Oublions donc tout jugement moral, du moins pour le moment.

Ensuite, il importe de préciser qu'il s'agit de «types purs», c'est-à-dire de certaines caractéristiques facilement observables, mais poussées à l'extrême. Dans les faits, il est très rare de rencontrer une personne qui appartient, sans nuances, à l'un de ces quatre types.

Il s'agit plutôt de tendances et vous possédez assurément des caractéristiques de chacun de ces types. Il y a tout aussi sûrement une dominante qui vous caractérise et que votre entourage remarque. Mais dans un contexte particulier, pour bien composer avec la situation, vous pouvez facilement aller puiser dans des caractéristiques de types qui sont chez vous moins dominants.

Plusieurs facteurs sont à considérer pour prédire le type de comportement que vous adopterez dans une situation donnée, notamment:

- les particularités de la rencontre ou de la réunion (le moment, le lieu, l'objet de la rencontre, vos sentiments personnels, le climat, etc.);
- vos habiletés d'écoute, de questionnement et de feed-back;
- les rôles respectifs des personnes en présence;
- les schèmes culturels que vous avez intériorisés depuis votre tendre enfance (socialisation).

La complexité de l'être humain oblige à utiliser toute typologie de comportements avec une grande prudence. Malgré cette réserve, la typologie des styles personnels de communication que nous présentons peut vous être utile.

On y distingue deux dimensions essentielles: la réactivité affective et la domination. Lors de vos communications, vous pouvez, d'une part, manifester plus ou moins de réactions affectives et, d'autre part, avoir tendance à dominer plus ou moins votre interlocuteur (contrôler l'interaction). L'articulation de ces deux dimensions permet de dégager quatre styles:

- moins de réactivité affective et moins de domination: **ANALYTIQUE**;
- plus de réactivité affective et moins de domination: **AIMABLE**;
- moins de réactivité affective et plus de domination: **DIRECTIF**;
- plus de réactivité affective et plus de domination: **EXPRESSIF**.

Une description sommaire de chacun de ces styles personnels de communication vous permettra de reconnaître votre style dominant. Il convient également de se rappeler ici que les autres ne réagissent pas à vos intentions, mais à ce qu'ils croient être vos intentions.

L'analytique

- Ses caractéristiques: réaction lente, effort maximal pour organiser, accent mis sur les processus, préoccupation minimale pour l'émotivité et les sentiments, cadre de référence historique, prudence dans l'action, tendance à éviter l'engagement personnel et besoin de vérité et de pertinence.
- En situation de stress, il craint le risque, s'attarde aux détails insignifiants, se fige, se montre froid, réfléchit longuement et se retire.
- Sa détermination est à la fois sa force et sa faiblesse. La vision mathématique qu'il a de l'univers ne lui permet un rapport facile ni avec lui-même ni avec les autres et peut le conduire à l'isolement, dans un perfectionnisme déshumanisant.

L'aimable

- Ses caractéristiques : réaction modérée, effort maximal pour entrer en relation, accent mis sur les personnes, préoccupation minimale pour la logique formelle, le présent comme cadre de référence, action de soutien, tendance à éviter le conflit, besoin de coopération et d'acceptation.
- En situation de stress, il craint le changement, éprouve de la difficulté à passer à l'action, est permissif et même négligent, utilise l'émotivité pour détourner la tension.
- L'absence de décisions dynamiques peut lui faire ressentir un manque d'efficacité personnelle. En misant trop sur une sécurité relationnelle avec les autres, il peut miner l'intimité avec soi-même et payer le prix fort pour maintenir une position de sécurité.

Le directif

- Ses caractéristiques : réaction rapide, effort maximal pour contrôler, accent mis sur la tâche, préoccupation minimale pour l'analyse et la réflexion théorique, le présent comme cadre de référence, action directe, tendance à éviter l'inaction, besoin de contrôle et de résultats.
- En situation de stress, il contrôle par un comportement autoritaire, il critique sévèrement et ne tolère pas l'incompétence, il écoute peu, il se montre impatient, arrogant et il intimide.
- Ses qualités dynamiques peuvent s'effriter s'il ne respecte pas ses limites. Il lui faut beaucoup d'énergie pour maintenir un contrôle constant sur lui-même et sur les autres. Il est un candidat idéal au *burnout*.

L'expressif

- Ses caractéristiques : réaction vive, effort maximal pour s'impliquer, accent mis sur l'interaction, préoccupation minimale pour la routine et la conformité, le futur comme cadre de référence, impulsivité dans l'action, tendance à éviter l'isolement, besoin de stimulation et d'interaction.
- En situation de stress, il est intense, impatient et expansif, il manifeste un optimisme exagéré, il montre peu d'attention aux détails, il est envahissant, il insiste et doit avoir le dernier mot.
- À trop faire appel à sa personnalité et à son charisme, il peut perdre contact avec ce qu'il vit vraiment, faute d'intériorisation. L'équilibre intérieur-extérieur lui est pourtant nécessaire.

Comment composer avec les autres styles de communication ?

Évidemment, vous soupçonnez bien que, si vous avez votre propre style, chacun de vos collaborateurs a aussi le sien. Il nous semble donc pertinent de vous indiquer, toujours de façon générale et simplifiée, comment agir avec chacun des styles personnels de communication au travail.

Avec l'analytique

Expliquez-lui d'abord comment (organisation), procédez de façon systématique (processus), appuyez-vous sur ses principes, présentez des faits documentés (référence au passé), précisez les échéances (prudence dans l'action), soyez patient, organisé et logique.

Avec l'aimable

Expliquez-lui d'abord de qui il s'agit (relations), procédez en douceur, offrez du soutien à la personne, abordez des sujets personnels, demandez-lui de prendre des initiatives, soyez gentil, précis et calme (coopération).

Avec le directif

Expliquez-lui d'abord « de quoi il s'agit », procédez rapidement (pas d'inaction), mettez l'accent sur les résultats (la tâche), proposez une action immédiate (référence au présent), laissez-lui une marge de manœuvre (besoin de contrôle), soyez factuel, rapide et efficace : allez droit au but (résultats).

Avec l'expressif

Expliquez-lui d'abord pourquoi, procédez de façon enthousiaste (réaction vive), tenez compte de ses intentions (s'impliquer), parlez des gens et des opinions (pas d'isolement), fournissez un cadre de discipline (impulsif), soyez stimulant et ouvert.

Bref, il est important de bien connaître votre style de gestion et de communication pour mieux saisir l'impact que vous avez. C'est en acceptant, en toute conscience, de gérer avec ce que vous êtes profondément que vous donnerez le meilleur de vous-même. Prenez bonne note également du style de communication de vos plus proches collaborateurs.

Pour approfondir davantage cet aspect et répondre à un questionnaire qui vous permettra d'y voir plus clair, vous pouvez consulter les sections 6 et 7.

Pour en savoir plus...

Cormier, S. (2006). *La communication et la gestion*, 2e éd., Québec, Presses de l'Université du Québec.

3

COMPRENDRE SON ORGANISATION

Vous êtes maintenant en poste depuis quelques semaines. Vous commencez à connaître divers segments de votre nouvelle organisation, mais vous n'en possédez pas encore une vue d'ensemble claire. C'est un peu comme pour un casse-tête : vous avez plusieurs pièces en main, mais elles ne sont pas encore assemblées. Voici une clé pour le faire.

Ce qu'est *une* organisation

Le tableau présenté dans cette section donne une vue d'ensemble d'une organisation, un peu comme le modèle de casse-tête imprimé sur la boîte. Chacun des termes sera défini et vous trouverez une série de questions pour donner à ce tableau les couleurs de votre organisation. Tout cela pourra vous sembler une réflexion un peu compliquée. De fait, cette analyse est plutôt exigeante, mais le jeu en vaut la chandelle et vous serez à la fois surprise et satisfaite des résultats. Pour mieux voir et comprendre, on a besoin d'un modèle de référence et d'une certaine distance.

Le tableau montre l'organisation comme un **système** ouvert. L'ouverture est représentée par les nombreuses lignes pointillées.

Un **système** est un ensemble d'éléments interdépendants, liés entre eux par des relations telles qu'une variation de l'un entraîne des modifications des autres à plus ou moins court terme. Pensons au système solaire ou au corps humain.

Nous avons ici une **coupe synchronique** du système (sans temps), une photo en quelque sorte, un film que l'on a mis sur « pause ». Mais le système de votre organisation connaît des transformations constantes, plus ou moins perceptibles. Nous l'arrêtons donc pour tenter de mieux le comprendre.

À un moment donné, lors de la photo, le système présente toujours une certaine cohérence, c'est-à-dire une liaison particulière et une certaine harmonie entre ses divers éléments. Mais dans une perspective diachronique, dans le temps, cette harmonie se défait et se refait constamment.

Ce système loge à l'enseigne de la **complexité**. Il est en effet composé d'éléments différents, combinés d'une manière qui n'est pas immédiatement saisissable; la pensée linéaire qui va de la cause à l'effet ne parvient pas à bien le comprendre. Il est donc nécessairement marqué par l'incertitude et l'indécidabilité, surtout dans notre monde actuel qui change si rapidement.

Ce système complexe et cohérent comporte quatre zones distinctes mais complémentaires, quatre **sous-systèmes** que nous allons maintenant définir.

L'**univers culturel** est le domaine des valeurs, le réservoir de motivations pour tous les membres de l'organisation. En effet, la « culture » est un ensemble lié de manières de penser, de sentir et d'agir, partagées par une pluralité de personnes, qui servent à constituer celles-ci en une collectivité particulière et distincte. Une « valeur » est une manière d'être ou d'agir qu'une

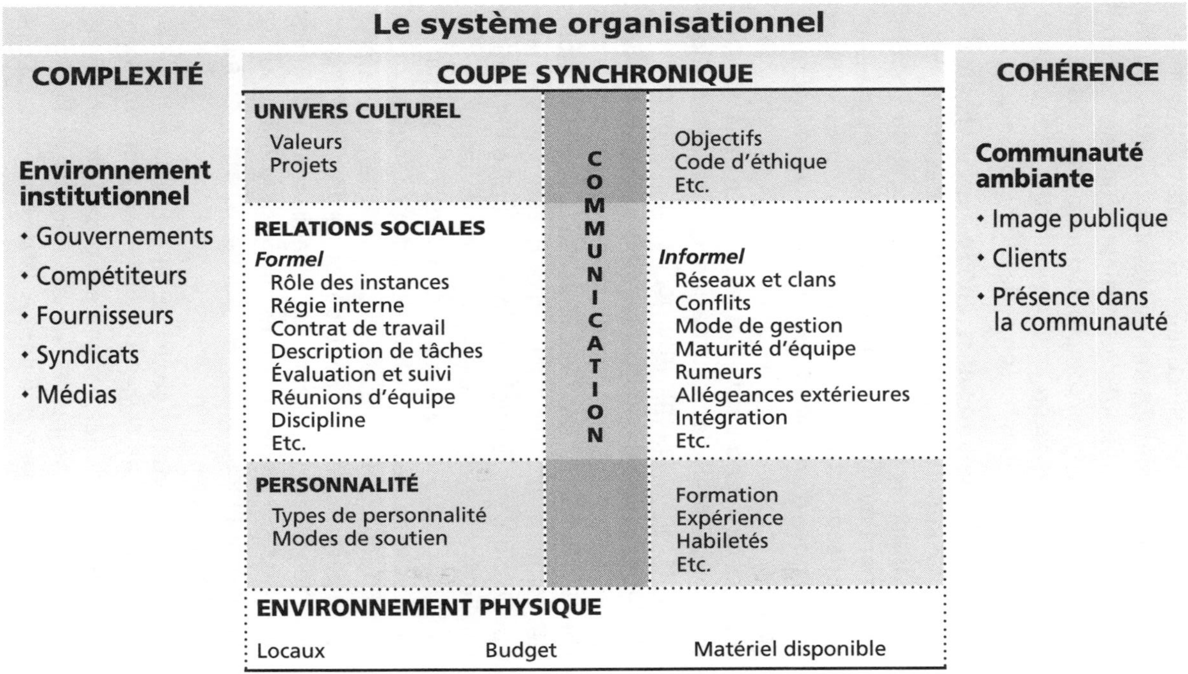

Le système organisationnel

COMPLEXITÉ

Environnement institutionnel

- Gouvernements
- Compétiteurs
- Fournisseurs
- Syndicats
- Médias

COUPE SYNCHRONIQUE

UNIVERS CULTUREL

Valeurs
Projets

Objectifs
Code d'éthique
Etc.

RELATIONS SOCIALES

Formel
Rôle des instances
Régie interne
Contrat de travail
Description de tâches
Évaluation et suivi
Réunions d'équipe
Discipline
Etc.

Informel
Réseaux et clans
Conflits
Mode de gestion
Maturité d'équipe
Rumeurs
Allégeances extérieures
Intégration
Etc.

COMMUNICATION

PERSONNALITÉ

Types de personnalité
Modes de soutien

Formation
Expérience
Habiletés
Etc.

ENVIRONNEMENT PHYSIQUE

Locaux
Budget
Matériel disponible

COHÉRENCE

Communauté ambiante

- Image publique
- Clients
- Présence dans la communauté

personne ou une collectivité reconnaît comme idéale et qui rend désirables ou estimables les êtres ou les conduites manifestant cette valeur. L'univers culturel de votre organisation comprend donc ses valeurs dominantes, ses grands projets, ses objectifs à plus court terme, ses principes ou son code d'éthique, etc.

Les **relations sociales** représentent le champ des rapports interindividuels, des solidarités, mais aussi des tensions et des conflits. C'est la zone du système qui retient notre attention à première vue et qui nous conduit souvent à oublier les autres. Ce sous-système se compose d'un volet **formel** et d'un volet informel. Le volet formel ou codifié comprend les définitions de rôle des différentes instances (assemblée générale s'il y en a une, conseil d'administration, comité de direction, etc.), les règles de régie interne, les caractéristiques du contrat de travail, la description des tâches de chacun, les modalités d'évaluation de chacun et du suivi attaché à ces évaluations, le cadre et les ordres du jour des réunions d'équipe, les règles disciplinaires et leur application, etc. Le volet **informel** centre l'attention sur l'existence des réseaux de communication et des clans, sur la présence de conflits, le mode de gestion en vigueur, le degré de maturité de l'équipe (dans les zones de l'affection, du pouvoir et de la tâche), sur la présence persistante de rumeurs de tous ordres, sur l'impact des allégeances extérieures à l'organisation comme les syndicats ou les associations professionnelles, sur la qualité de l'intégration véritable de chaque membre de l'équipe, etc.

La **personnalité** de chaque membre de ce système, la troisième zone, représente le moteur du système, à la fois sa force de changement et sa force d'inertie. Chaque personne puise sa motivation dans l'univers culturel et la développe par ses relations sociales. Dans cette zone, il faut tenir compte des types de personnalité en présence, des modes de soutien offerts à chacun dans la vie quotidienne, de même que de la formation, de l'expérience, des habiletés particulières et des idéaux de chacun.

L'**environnement physique** constitue le dernier sous-système à considérer. Il comprend à la fois des conditionnements et des possibilités pour l'ensemble du système. On y retrouve notamment les locaux et leur configuration, le budget, le matériel de travail disponible.

Ce système organisationnel ne fonctionne cependant pas en vase clos. Il est directement influencé dans sa stabilité et dans son développement par des forces externes. D'une part, son **environnement institutionnel** affecte ses conditions de vie ; pensons notamment à certaines lois ou politiques gouvernementales, à ses compétiteurs, à ses fournisseurs, aux syndicats, aux médias. D'autre part, la **communauté ambiante** a un impact direct sur sa couleur locale : sa clientèle de milieux plus ou moins favorisés et multiethniques, l'image publique de l'organisation, son type de présence dans la communauté, etc.

On ne redira jamais assez la complexité de ces systèmes vivants où chaque élément influence les autres et est influencé par eux. Le défi qui vous attend est de reconnaître cette complexité sans y perdre votre dynamisme.

Au cœur de ce système en constante évolution se trouve la **communication**. C'est à la fois le ciment de l'organisation, son flux de vie, l'outil premier tant de sa cohérence temporaire que de son changement. La communication est essentiellement un processus de création de sens entre deux ou plusieurs personnes (émetteur et récepteur) par la transmission de signaux (mots, gestes, etc.) à l'aide de différents moyens (oraux, écrits, visuels, etc.). Les personnes en présence transmettent évidemment toutes les influences psychosociales qui les caractérisent. Mais n'oublions surtout pas que le sens du message est, en dernier ressort, donné par le récepteur et que ce sens diffère toujours, du moins en partie, de celui conçu par l'émetteur.

Si l'on comprend ainsi l'organisation comme un système, on déduit facilement que tout changement dans un sous-système provoque inévitablement certaines transformations dans les autres sous-systèmes. Nous aborderons le processus de changement dans la prochaine section. Pour le moment, vous êtes invitée à répondre aux questions suivantes. Cet exercice vous donnera une image actuelle de votre organisation à l'aide du cadre de référence que nous venons de présenter.

Ce qu'est *votre* organisation

- Votre mission, avec sa couleur locale, est-elle bien définie, largement diffusée et partagée par plusieurs ? Sert-elle de pôle de référence dans la plupart de vos gestes et de vos échanges, de même que dans ceux de vos collaboratrices ?

  ____

  ____

  ____

- Quelles sont les principales valeurs que vous prônez avec persistance ?

  ____

  ____

  ____

- Avez-vous bien intériorisé les projets qui vous sont proposés ? Ces projets sont-il bien adaptés à votre réalité et à celle de vos collaboratrices ? Les avez-vous vraiment intégrés en les teintant à votre manière ?

- Devez-vous respecter un code d'éthique bien défini et largement connu ? Ce code sert-il vraiment de référence dans l'appréciation des conduites ? Disposez-vous d'outils en ce sens ?

- Vos réponses aux questions précédentes sont-elles cohérentes entre elles ?

- Le rôle des diverses instances de votre organisation est-il clairement défini, connu, partagé et respecté ?

- Suivez-vous des règles de régie interne claires et facilitantes pour un bon fonctionnement ?

- Les contrats de travail des employées sont-ils à jour, satisfaisants dans leur ensemble, et permettent-ils vraiment à chaque employée de déployer tous ses talents dans la poursuite de vos projets communs ?

- Vos descriptions de tâches sont-elles bien adaptées pour vous permettre de laisser émerger la vie et de favoriser la créativité plutôt que de gérer du personnel ?

- Procédez-vous régulièrement à l'évaluation de chaque employée ? Vous appuyez-vous sur des critères équitables et précis pour faire cette évaluation ? Quel suivi assurez-vous à chaque évaluation ?

- Tenez-vous des réunions d'équipe régulièrement ? Suivez-vous un ordre du jour type ? Comment qualifieriez-vous la participation à ces réunions ?

- Au besoin, utilisez-vous des mesures disciplinaires justes et équitables ? Est-ce facile à faire ? Quelles sont les conséquences de ces mesures ?

- Quels sont les réseaux et les clans qui existent dans votre organisation ? Sont-ils bien vivants et quelle influence exercent-ils ?

- Existe-t-il des conflits entre certaines personnes de votre organisation ? Qui sont ces personnes ? Quelles sont les conséquences de ces conflits ? Y a-t-il eu des interventions à ce sujet ? Quel succès ces actions ont-elles eu et quelles en furent les conséquences ?

- Comment peut-on qualifier le mode de gestion en place chez vous ? Ce plan est-il bien adapté aux personnes concernées, aux caractéristiques de l'équipe et à vos valeurs dominantes ?

- Quel est le degré de maturité de votre équipe de travail dans ses dimensions de la tâche, du pouvoir et de l'affection ?

- Des rumeurs courent-elles actuellement dans votre organisation ? Si oui, d'où viennent-elles ? Comment se répandent-elles ? Quel manque d'information viennent-elles combler ? Quelles attentes insatisfaites révèlent-elles ?

- Certaines allégeances extérieures, professionnelles, syndicales ou autres, ont-elles un impact sur la conduite de certains membres de l'équipe ? Quel est cet impact ?

- Vos démarches d'intégration de nouvelles personnes dans l'équipe, qu'il s'agisse de personnel temporaire ou permanent, sont-elles efficaces ? Comment ?

- Quels sont les types de personnalité publique présents dans votre équipe ? Comment composez-vous avec chacun d'entre eux ? Comment s'harmonisent-ils ou s'opposent-ils entre eux ?

  ______

  ______

  ______

- Quels modes d'encadrement et de soutien mettez-vous en œuvre pour appuyer votre équipe (parrainage, counseling, mentorat, actions partagées, retours réguliers sur l'action, etc.) ?

  ______

  ______

  ______

- Mentionnez la formation, l' expérience, les habiletés particulières et les idéaux de chaque personne de votre équipe.

  ______

  ______

  ______

- En quoi vos locaux favorisent-ils la mise en œuvre de vos projets (taille, emplacement, couleurs, aménagement, etc.) ?

  ______

  ______

  ______

- Vos priorités budgétaires reflètent-elles bien vos orientations dominantes et les besoins de votre équipe ?

- Le matériel disponible permet-il la mise en œuvre de vos projets et soutient-il adéquatement la créativité de toutes les personnes présentes ?

- Votre environnement institutionnel est à la fois un appui à votre fonctionnement et une limite à vos initiatives. Comment pourriez-vous améliorer cette situation ?

- Votre clientèle est formée des membres de la communauté ambiante de votre organisation. Quelles sont les principales caractéristiques de cette communauté (classes sociales, niveaux de revenu et de scolarité, diversité ethnique, types de familles, etc.) ?

- Quelle est l'image publique de votre organisation dans cette communauté ?

____

____

____

- Quels sont les organismes avec lesquels vous collaborez ou pourriez collaborer ?

____

____

____

Au terme de cet exercice de photo et de prise de distance, établissez le plus de liens possible entre vos diverses réponses à ces questions afin de cerner le degré de cohérence actuel de votre organisation. Pour chacune des incohérences qui vous sauteront aux yeux, inventoriez les diverses possibilités d'action pour améliorer la situation. N'oubliez surtout pas que toute nouvelle action déclenchera un réajustement dans l'ensemble du système.

Pour en savoir plus...

Payette, A. (1988). *L'efficacité des gestionnaires et des organisations*, Québec, Presses de l'Université du Québec.

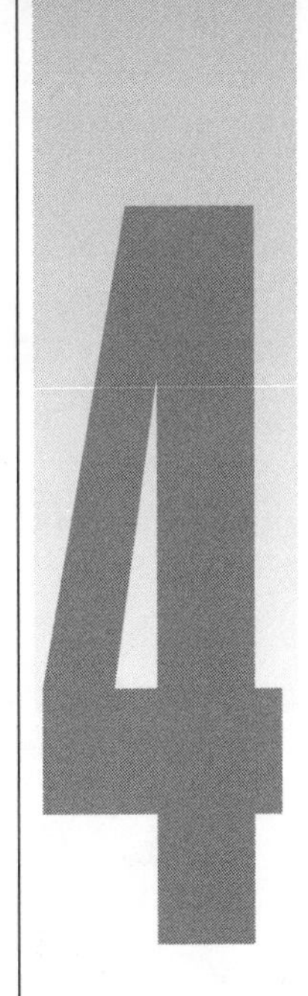

ÉTABLIR UN PLAN D'ACTION[1]

1. Cette section sur le processus d'action s'inspire largement des travaux, souvent inédits, de Guy Beaugrand-Champagne, professeur à la retraite de l'Université du Québec à Montréal, que plusieurs reconnaissent à juste titre comme le « père de l'animation au Québec ».

Vous êtes en poste depuis quelque temps, vous commencez à connaître vos collaborateurs et ils se sont fait une idée, même approximative, de votre style personnel de communication et de votre mode de gestion. Vous avez en tête un portrait de votre organisation, plus ou moins exhaustif et articulé, mais suffisant pour préparer l'action, et vous éprouvez une certaine hâte d'agir.

Or il arrive souvent qu'on confonde l'action avec la réalisation plus ou moins fébrile d'activités. Dans ce cas, on déplore ensuite l'inefficacité des gestes posés et leur échec partiel malgré les efforts considérables déployés. Il importe donc de bien saisir l'action dans toutes ses dimensions. L'action planifiée correspond à un processus complet, vivant et dynamique comprenant quatre étapes : l'analyse de la situation, la recherche de solution, l'exécution et l'évaluation. Les résultats de l'évaluation contiennent beaucoup d'éléments qui permettent de mieux comprendre la nouvelle situation, modifiée par l'action, et de reprendre ainsi le processus d'action, d'où l'expression de « roulette » ou de processus dynamique et sans fin. Fondamentalement, l'action planifiée est la modification intentionnelle de son environnement socioculturel.

L'analyse de la situation

Au moment de votre tournée de l'organisation, vous avez vraisemblablement perçu et enregistré un certain nombre de malaises et de manques exprimés sous forme de rumeurs et de plaintes. Il importe d'abord de rechercher les faits sur lesquels s'appuient ces rumeurs et ces plaintes. Une fois les faits établis, il s'agit d'en identifier les causes : d'où vient le problème ou de quoi dépend-il ? Parallèlement, il convient de clarifier quelles sont les conséquences de ces faits : qu'est-ce qu'ils entraînent ou provoquent ? Ces faits, leurs causes et leurs conséquences vous permettront de cerner la « situation problématique ». Formulez cette situation de la façon la plus claire, simple et limpide possible.

La recherche de solutions

Trop souvent on franchit cette étape de la recherche de solutions à la sauvette, en choisissant trop rapidement une solution qui, à l'usage, se révèle boiteuse et inadéquate. En fait, la recherche de solutions comprend trois phases : recherche créative de nombreuses pistes de solution, analyse critique des différentes pistes et choix d'une solution.

Recherche créative

Cette phase fait appel à la créativité, puisqu'il s'agit de nommer toutes les solutions possibles et inimaginables, sans aucune censure. C'est l'imagination au pouvoir. Souvent, ce qui apparaissait impossible ou irréaliste à première vue devient, après examen, une solution fort intéressante.

Analyse critique

À cette phase, on examine attentivement, une à une, chaque piste de solution nommée à la phase précédente et l'on se demande si elle est souhaitable (avantages, inconvénients) et réalisable compte tenu des contraintes de temps, des ressources disponibles et des traits de la culture organisationnelle.

Choix d'une solution

C'est le moment de choisir la solution la plus pertinente en fonction des résultats souhaités et des valeurs privilégiées par votre organisation. Cette solution doit aussi s'inscrire à l'intérieur des contraintes organisationnelles. Parfois, la solution la plus pertinente est une intégration de différentes solutions.

L'exécution

Il convient maintenant de mettre en œuvre, de manière concrète, la solution retenue, laquelle devient l'objectif d'action. L'objectif, c'est l'énoncé du résultat désiré dans un délai déterminé, le point d'arrivée. On doit aussi prendre en compte les activités à mettre en branle, les tâches nécessaires, l'échéancier et les ressources dont on a besoin. Précisons d'abord les caractéristiques de l'objectif d'action. Cet objectif doit :

- décrire la situation désirée, les personnes visées et l'échéance finale (quoi, qui et quand) ;
- être formulé de façon directe, simple et claire afin d'éviter toute confusion ;
- harmoniser les objectifs personnels et collectifs ;
- être atteignable et réalisable ;

- contenir dans sa formulation les critères d'évaluation de l'action, à défaut de quoi il est trop flou ou trop complexe et il faudra le décomposer;
- viser la cause du problème reconnu et non seulement les symptômes.

En fonction de l'objectif visé, vous élaborez votre plan d'action. C'est l'articulation de façon cohérente et réaliste des éléments suivants:

- les moyens à utiliser, c'est-à-dire les activités;
- les tâches à exécuter pour réaliser ces activités;
- les personnes responsables de l'exécution des tâches;
- l'échéancier ou le temps réparti en fonction de la date finale;
- les ressources nécessaires (argent, locaux, matériel...).

Chaque objectif exige l'élaboration d'un plan: il doit y avoir autant de plans d'action que d'objectifs. Il appartient à la personne, à l'instance ou au comité responsable de l'atteinte de l'objectif de dresser son plan. La précision du plan d'action peut amener la modification de la formulation de l'objectif, notamment en vérifiant si les ressources nécessaires sont disponibles pour que l'objectif soit réalisable.

Vous terminez cette troisième étape en réalisant l'action prévue. Vous avez déjà compris que l'action dont il est ici question est loin de l'agitation ou de l'improvisation continuelle.

L'évaluation

Vous voici arrivé à la dernière étape, mais non la moindre, du processus d'action. C'est pourtant une étape souvent escamotée, bâclée ou encore conclue de façon spontanée et impressionniste. L'évaluation est pourtant très importante, car elle permet de :

- comprendre les raisons de la réussite ou de l'échec ;
- vérifier systématiquement si l'objectif a été atteint ;
- mesurer l'écart entre la situation désirée et la situation obtenue ;
- tirer les acquis de l'expérience en rendant ainsi l'action formatrice ;
- identifier les erreurs commises pour éviter de répéter les mêmes plus tard.

L'évaluation consiste essentiellement à réviser de façon critique les trois étapes précédentes, mais dans l'ordre inverse : d'abord l'exécution, puis la recherche de solutions et l'analyse de la situation. Ayez l'esprit ouvert et respectez les autres. Ne cherchez pas de coupables et ne distribuez pas d'éloges indûment.

Exécution

- Quel est le degré de cohérence entre les moyens (activités) et l'objectif, entre les moyens et les autres éléments du plan d'action ?
- L'objectif était-il vraiment atteignable et réalisable dans les délais établis, compte tenu des contraintes et des ressources ?

Recherche de solution

- La solution retenue était-elle la plus pertinente ?
- Auriez-vous pu ou dû en retenir une autre ?
- Les trois phases de créativité, de critique et de choix ont-elles été franchies d'une façon satisfaisante ?
- Quel est le degré d'adéquation entre la solution et le problème ?

Analyse de la situation

- Avez-vous cerné toutes les dimensions de la situation problématique ?
- Y avait-il suffisamment de rigueur dans l'énoncé des faits, en même temps qu'une recherche valide des causes et des conséquences ?
- Votre connaissance de la réalité était-elle vivante et significative ou trop théorique et abstraite ?
- Qu'est-ce que l'ensemble de ce processus vous apprend de nouveau sur la réalité de votre organisation et sur votre équipe de collaborateurs ?

L'évaluation est un temps d'arrêt pour mieux avancer. Elle permet de dégager tous les éléments nécessaires pour enclencher une nouvelle action en continuité et non en rupture avec la précédente. Vous êtes donc invité à analyser rigoureusement la nouvelle situation, fruit de votre action.

Mesurer la résistance

Vous savez fort bien que l'action que vous menez, seul ou avec d'autres, vise à améliorer certaines situations ou à modifier des pratiques. Dans la mesure où ces modifications sont relativement importantes, elles constituent un véritable changement dans votre organisation. Or, tout changement comporte des implications majeures. Pour mieux saisir l'exigence de tout changement, retournons à Nicolas Machiavel, dans *Le Prince,* paru au début du XVIe siècle :

> Il nous faut penser qu'il n'y a chose à traiter plus pénible, à réussir plus douteuse, ni plus à manier dangereuse que de s'aventurer à introduire de nouvelles institutions, car celui qui les introduit a pour ennemis tous ceux à qui les vieilles manières sont profitables et pour défenseurs bien tièdes tous ceux à qui les nouvelles seraient bonnes. Laquelle tiédeur vient en partie de la peur des adversaires qui ont des lois pour eux, en partie aussi de l'incrédulité des hommes qui ne croient point véritablement aux choses nouvelles s'ils n'en voient déjà une expérience sûre.

Vous voyez que la situation n'est pas nouvelle. Bon courage, donc, et bonne chance !

Tenons pour acquis que l'action que vous entreprenez constitue un changement dans votre organisation. Comme nous l'avons vu dans la description du système de l'organisation, ce changement d'une ampleur variable affectera progressivement plusieurs parties de votre organisation. S'il est le moindrement substantiel, le changement provoquera de la résistance[2].

La résistance au changement désigne cet effort qui est fait dans le système, par un individu ou par un groupe, pour maintenir ou restaurer l'équilibre initial du système, c'est-à-dire l'usage qui réglait les pratiques quotidiennes. Cette résistance peut être inconsciente, passive à cause de la force d'inertie ou active par la mise

2. Cette analyse des résistances s'inspire grandement des réflexions de Robert Lescarbeau, praticien-chercheur de l'Université de Sherbrooke, spécialisé en développement organisationnel.

en place d'actions qui visent à contrer les efforts de changement. Cette résistance est habituelle et compréhensible, puisque tout changement dérange.

Au début de votre action, quelques personnes seulement pensent au changement qu'implique la mise en œuvre de votre plan d'action. La résistance vous semble alors massive, confuse, indifférenciée. Mais dès que le changement commence à avoir des conséquences concrètes, les personnes qui sont en faveur du changement et celles qui s'y opposent deviennent identifiables. On peut généralement regrouper ces personnes en quatre catégories :

- le groupe de la continuité, les défenseurs les plus actifs du *statu quo* ;
- le groupe de l'innovation, les défenseurs du changement ;
- le groupe des interprètes, les personnes qui voient des éléments positifs dans chacun des deux premiers groupes et qui recherchent un juste milieu ;
- le groupe des mésadaptés, les gens qui ne sont à l'aise ni avec la continuité ni avec l'innovation.

L'appartenance des personnes à ces groupes dépend des situations. Cette répartition selon les groupes peut donc se modifier selon le thème abordé et les intérêts en jeu.

À l'exception des mésadaptés, incapables de contribuer à faire évoluer le milieu dans un sens ou dans l'autre, les personnes des différents groupes jouent des rôles essentiels. En effet, s'il n'y avait que des innovateurs votre organisation souffrirait d'une constante instabilité qui pourrait mener à l'éclatement. S'il n'y avait que des tenants de la continuité, votre organisation serait incapable de s'adapter à son environnement en évolution et deviendrait vite dépassée. Sans interprètes, les deux groupes précédents tomberaient dans l'affrontement stérile, dans une dynamique de perdants et de gagnants.

Le rôle des opposants est particulièrement crucial. Ces personnes vous communiquent en effet des informations importantes sur la nature du système que vous êtes en train de changer. L'écoute et la compréhension de leurs résistances vous permettent de mieux adapter le changement projeté.

Évaluer les besoins

Si l'on y regarde de plus près, les résistants sont des personnes qui se sentent menacées dans la satisfaction de certains de leurs besoins fondamentaux.

Besoins physiologiques

- Peur d'une diminution de salaire
- Peur d'être relégué à un échelon inférieur
- Peur de devoir fournir des efforts supplémentaires de longue durée

Besoins de sécurité

- Peur de perdre son emploi
- Peur de l'inconnu et de l'incertitude
- Peur de ne pas être aussi compétent que maintenant
- Peur de ne plus contrôler son environnement immédiat

Besoins d'appartenance

- Peur d'être obligé de s'adapter à d'autres compagnons de travail
- Peur de devoir perdre des amitiés bien établies

Besoins d'estime

- Peur que les habiletés acquises se révèlent désuètes
- Peur de la critique implicite selon laquelle les méthodes existantes sont inadéquates

Besoins de croissance

- Peur que la spécialisation croissante soit source de monotonie
- Peur de ne pouvoir participer activement à la planification et à la mise en place du changement

Atténuer la résistance

Tous ces besoins sont fort légitimes. Le reconnaître vous permettra de mieux comprendre la résistance et de mieux la traiter. Mais comment est-il possible d'atténuer la force de cette résistance ? Très souvent, la résistance diminue lorsque :

- les membres du personnel sentent que ce changement est « leur » projet et non une idée venue de l'extérieur ;
- l'appui de la haute direction se manifeste clairement ;
- le changement est en accord avec les valeurs et les idéaux du milieu ;
- les employés sentent que leur autonomie et leur sécurité ne sont pas menacées ;

- les employés ont contribué à l'analyse de la situation à changer;
- le projet de changement a été adopté par une décision consensuelle des employés;
- les proposeurs sont capables de comprendre les opposants, de reconnaître les objections valides et de les rassurer quant aux peurs non fondées;
- les proposeurs acceptent l'expression de toutes les perceptions du projet de changement et fournissent les clarifications nécessaires;
- les employés se sentent acceptés, soutenus et la confiance règne entre eux;
- le projet demeure ouvert pour révision si nécessaire;
- le projet est simple et, au besoin, divisé en étapes;
- le projet est communicable et largement communiqué.

Ces éléments vous aideront sûrement à déterminer correctement les appuis et les résistances à vos projets et à naviguer habilement sur ces flots agités.

Il va de soi que la réussite de vos projets de changement repose en bonne partie sur la répartition du pouvoir dans votre organisation. C'est pourquoi nous terminons cette section en tentant de clarifier la notion de «pouvoir», phénomène omniprésent dans les organisations, mais souvent occulté.

Ralph Nader, défenseur américain des droits des consommateurs, disait: «J'ai cette idée du pouvoir qu'il ne s'exerce de façon responsable que lorsqu'il se sent menacé.» Nous partageons son point de vue, car cette tension sert à rétablir un certain équilibre.

Le pouvoir, c'est votre capacité d'influencer, c'est-à-dire d'amener quelqu'un à faire, penser ou ressentir ce qu'il n'aurait pas fait, pensé ou ressenti sans votre intervention. Le pouvoir est donc une potentialité qui se manifeste par l'influence. Ce que vous observez est le résultat d'une influence, mais le pouvoir est plus vaste que la manifestation que vous observez.

Votre pouvoir et celui de vos collaborateurs comportent deux volets: formel et informel. Le volet formel correspond à l'autorité liée au poste occupé et à la description de responsabilités et de tâches de ce poste. Le volet informel, c'est le leadership s'expliquant à la fois par les caractéristiques de la personne qui en fait montre et par les besoins du groupe sur lequel il s'exerce. Trois modes d'exercice expriment au quotidien cette autorité et ce leadership:

- la coercition (forcer quelqu'un à...);
- la persuasion;
- la manipulation (la coercition sous forme de persuasion).

Par ailleurs, ce pouvoir peut s'appuyer sur cinq bases différentes, mais complémentaires:

- la capacité de récompenser et de punir (augmentation salariale, sanction disciplinaire, promotion, rétrogradation...);
- la coercition (c'est le cas de la police et de l'armée);
- l'identification (c'est le pouvoir de référence: quelqu'un s'identifie à une personne qu'il essaie d'imiter, et ce pouvoir peut irradier dans l'ensemble de sa vie);
- l'expertise (le pouvoir de compétence);
- la légitimité ou le pouvoir en accord avec les valeurs culturelles (le pouvoir des adultes sur les enfants et sur les personnes âgées) ou l'acceptation par la structure sociale (le pouvoir des patrons sur leurs employés) ou la désignation par un agent légitime (délégation).

Plus votre pouvoir repose sur plusieurs bases, mieux il est assis. Plus vous parvenez à conjuguer autorité et leadership, plus votre pouvoir est fort.

À l'aide de ces réflexions, exercez-vous à relever les principales manifestations de pouvoir dans votre organisation. Cette opération vous facilitera le passage à l'action pour réaliser votre plan avec succès.

Pour en savoir plus...

Vaillancourt, R. (2006). *Le temps de l'incertitude: du changement personnel au changement organisationnel*, Québec, Presses de l'Université du Québec.

5

RÉALISER LE **PLAN**

Vous disposez maintenant d'un bon nombre d'observations, de réflexions et d'outils pour passer à l'action. Mais comme vous ne serez évidemment pas seule à agir, votre action demandera de nombreuses communications et beaucoup de travaux en équipe. Ce sont ces deux thèmes d'importance capitale que nous abordons maintenant.

Notons d'abord que toute communication au travail comprend trois dimensions : le contenu ou la tâche, le pouvoir et l'émotion ou l'affection. Qu'on le veuille ou non, ces trois éléments sont toujours présents et chacun occupe plus ou moins de place. Ainsi, les résultats de toute discussion sur un travail à accomplir seront plus ou moins concluants selon la présence ou non d'une cadre supérieure (pouvoir) et selon que les personnes concernées s'acceptent mutuellement plus ou moins bien.

Dans certaines situations, le pouvoir et l'émotion prennent tellement de place que le contenu devient totalement secondaire même s'il est l'objet de la rencontre. C'est le cas lorsque des individus sont en conflit.

Examinons ces deux phénomènes clés que sont le travail en équipe et la communication. La présentation qui suit est tirée essentiellement des travaux de

Simone Landry[1], professeure retraitée de l'Université du Québec à Montréal, qui a très bien su allier la théorie et la pratique. Le tableau de cette section, auquel vous pourrez vous reporter en tout temps, en présente une trop brève synthèse.

«Le groupe de travail est un système psychosocial composé de 5 à 20 personnes qui se réunissent et entrent en communication en vue d'effectuer une tâche commune.» Précisons chaque composante de cette définition.

- *un système*: un ensemble d'éléments en interaction dynamique, organisé en fonction d'un but (comme l'électricité ou le corps humain);
- *psychosocial*: le groupe constitue un tout autonome qui n'est pas réductible à la dynamique des relations entre les personnes qui en font partie, ni aux lois des grandes organisations;
- *composé de 5 à 20 personnes*: le nombre idéal pour le fonctionnement d'un groupe se situe entre 5 et 12 personnes. Si le groupe comprend moins de 5 personnes, le jeu des relations entre les personnalités individuelles prend toute la place. S'il y a plus de 20 personnes, on assiste à l'émergence de sous-groupes;
- *qui se réunissent*: il faut au moins quelques heures pour former un groupe et au moins une dizaine de réunions pour que le groupe atteigne la maturité. Si l'on change 2 ou 3 personnes, le groupe doit se refaire;

1. La première version de ce modèle a été publiée en 1977. L'auteure développe son modèle dans *Travail, affection et pouvoir dans les groupes restreints*, Presses de l'Université du Québec, 2007.

- *et entrent en communication*: la taille du groupe permet à chaque personne d'être en relation directe avec chacune des autres et de communiquer avec toutes (messages transmis et reçus, communications verbales et non verbales). On peut y déceler la présence de réseaux composés des personnes qui communiquent plus régulièrement entre elles;
- *en vue d'effectuer une tâche commune*: la tâche commune est l'objectif du groupe, sa raison d'être (préparer une action, réaliser un projet, résoudre un problème, etc.).

La dynamique du groupe de travail

Toute la vie du groupe s'articule autour de trois zones dynamiques, distinctes mais liées entre elles, dont l'évolution se fait en spirale: la zone de l'*affection* (vie émotive du groupe), la zone du *pouvoir* (capacité d'influence) et la zone de la *tâche* (objectif du groupe). Le tableau qui suit présente les phases d'un groupe vers la maturité.

Le groupe a atteint une certaine maturité quand:

- dans la zone de l'affection, les membres arrivent à des relations satisfaisantes entre eux, atteignent une cohésion de groupe et la maintiennent;
- dans la zone du pouvoir, les membres se sont donné une répartition du pouvoir qui répond aux besoins du groupe et à ses objectifs de travail et la maintiennent;
- dans la zone de la tâche, les membres parviennent à organiser leur travail de manière à exécuter la tâche qui leur incombe de façon efficace et efficiente.

Les phases vers la maturité			
	Affection	**Pouvoir**	**Tâche**
I	Tensions primaires	Élimination des personnes inaptes au leadership	Moi plus que la tâche
II	Développement de la structure affective		Apports conventionnels et stéréotypés
	Naissance de la cohésion		
	Euphorie collective		
III	Tensions secondaires	Luttes de pouvoir (quatre scénarios)	Questions fondamentales
	Résolution des tensions (trois techniques)		
IV	Cohésion accrue	Leadership stable	Collaboration réelle

L'évolution du groupe se déploie comme une spirale qui passe par les trois zones de l'affection, du pouvoir et de la tâche. Cette évolution en spirale selon quatre phases est présentée de manière schématique dans le tableau. Cependant, il faut comprendre qu'on ne peut pas franchir toutes les étapes d'une zone et, ensuite, passer à une autre zone. Tout cela se fait parallèlement, de manière non linéaire, et le blocage dans une zone provoque, en même temps, un arrêt ou une régression dans les autres. Bien que chaque groupe soit particulier, il est possible de formuler un modèle d'évolution qui, à titre indicatif, peut vous aider à mieux comprendre ce qui se passe dans vos groupes de travail. À cet effet, nous explicitons les étapes à franchir dans chacune des zones, le tableau vous aidant à voir les rapports entre les étapes de chacune des zones.

La zone de l'affection

La zone de l'affection correspond à la vie émotive du groupe. Elle comprend:

- les relations affectives entre les membres (sympathies, antipathies, etc.);
- les émotions de chaque membre par rapport à ce qui se passe dans le groupe (joie, colère, frustration, excitation, calme, fatigue, anxiété, détente, etc.);
- le moral du groupe (solidarité, cohésion, sentiment d'appartenance, etc.).

Dans la zone de l'affection, les membres veulent parvenir à des relations satisfaisantes entre elles, atteindre la cohésion de groupe et la maintenir. La «cohésion», c'est une force qui a pour effet de maintenir ensemble les membres du groupe et de résister aux forces de désintégration. Pour atteindre une certaine maturité, dans la zone de l'affection, le groupe franchit habituellement les sept étapes suivantes.

1. **Tensions primaires.** Au début du groupe, on sent un certain malaise, une certaine rigidité parmi les membres. Celles-ci agissent par politesse, mais s'ennuient et ressentent une certaine fatigue. Elles gardent de longs silences et éprouvent un certain trac. Ce climat durera jusqu'à ce que chacune ait reçu des indices que ses besoins d'estime (sa place dans le groupe) pourront être satisfaits. Ce climat peut se manifester au début de chaque réunion tout en durant de moins en moins longtemps. Pour résoudre ces tensions primaires on peut soit laisser les membres parler pour qu'elles se connaissent mieux mutuellement, soit mettre au point une activité de départ pour aider les membres à se révéler, soit nommer ce phénomène en groupe.

2. **Développement de la structure affective.** Les membres commencent à se connaître et on assiste à la création de liens affectifs dynamiques. Les communications deviennent plus ouvertes et plus intenses. Des courants de sympathie et d'antipathie s'établissent alors.

3. **Naissance d'une certaine cohésion.** C'est le début d'un sentiment de solidarité et d'appartenance. On entend dire « notre groupe ». Mais la véritable cohésion n'est pas encore acquise.

4. **Euphorie collective.** Les membres du groupe sont submergées par un sentiment de fusion qui abolit les différences individuelles. Étant donné que l'on met l'accent sur les points communs, l'atmosphère est à la fête, aux rires. Si une membre se permet une critique à l'égard du groupe, elle est rejetée et risque de devenir le bouc émissaire. Il s'agit évidemment d'une fausse cohésion, mais qui est importante, on s'en souviendra.

5. **Tensions secondaires.** Après ce passage par une certaine euphorie, le groupe reprend contact avec la réalité, les membres constatent leurs différences et en sont déçues. On perçoit des attitudes de retrait, d'hostilité et de tristesse. Le groupe semble écrasé. Une constatation importante est faite : on a des valeurs, des personnalités et des attitudes différentes. Si l'on nie ces différences qui font la force potentielle du groupe, la stagnation s'installe. Les forces de désintégration sont à l'œuvre.

6. **Résolution des tensions.** On sent de l'agitation. Plusieurs personnes parlent en même temps. Trois techniques éprouvées peuvent être utilisées pour franchir cette étape : l'humour qui provoque des rires désamorceurs de tension, des rencontres informelles entre les membres en conflit ou une

confrontation directe en réunion. Il faut noter ici que, même résolues, ces tensions peuvent revenir selon les événements qui affectent la vie du groupe. Cependant, cette fois, les membres seront mieux outillées pour les résoudre.

7. **Cohésion accrue.** Les tensions sont résolues et la cohésion du groupe repose maintenant sur des bases plus solides. On perçoit une plus grande tolérance et une ouverture à chacune compte tenu de ses différences.

On peut observer quelques rôles types dans cette zone de l'affection. Mentionnons la personne populaire, la libératrice de tensions, le bouffon, la consolatrice, la personne de compromis, la victime, le bouc émissaire, la moralisatrice, etc.

La zone du pouvoir

Dans la zone du pouvoir, les membres veulent se donner une répartition du pouvoir qui répond à leurs besoins et à leurs objectifs de travail et la maintenir. L'atteinte de cet objectif comporte généralement trois étapes.

1. **Élimination des personnes inaptes.** Au début de la vie du groupe de travail, on s'observe et on s'évalue. On repère alors rapidement les personnes inaptes au leadership et on les écarte. Trois genres de membres sont rapidement jugés « inaptes » : les membres qui participent peu lors de la première rencontre ; celles qui sont actives, mais paraissent peu ou mal informées, moins intelligentes, moins compétentes ; celles qui sont très actives, mais semblent très dogmatiques, très rigides.

2. **Luttes de pouvoir.** Les tensions sont manifestes et la compétition devient intense entre deux ou trois aspirantes au leadership. L'élimination se fera en fonction des besoins du groupe (le style, le sexe, le degré d'émotivité [trop ou pas assez]), la souplesse (manque de flexibilité ou laisser-faire), etc. On observe généralement quatre scénarios possibles. Le premier est bref : il y a deux candidates, l'une choisit une lieutenante et le groupe élimine l'autre. Le deuxième est long et pénible : il y a deux candidates, chacune se trouve une lieutenante et chacune demeure sur ses positions. Le troisième scénario prend place si une crise secoue le groupe à la suite d'événements externes (modification du mandat, nouvelle urgence, etc.) ou internes (présence d'une membre perturbatrice, défection, présence d'une personne centrale qui monopolise l'attention, etc.). La membre qui sera perçue la meilleure pour faire face à cette situation de crise deviendra la leader du groupe. Le quatrième scénario se concrétise quand le groupe ne parvient pas à se choisir une leader ou, s'il en choisit une, il la démet assez rapidement et la remplace par une autre. Cette succession continuelle au leadership favorise la création de clans et annonce l'échec dans la réalisation de la tâche.
3. **Leadership stable.** La personne qui a ce leadership le maintient en restant en contact avec les besoins du groupe et elle guide le groupe dans la réalisation de sa tâche. Notons que, si la leader est trop centrée sur elle-même, elle sera plus ou moins rapidement démise de ses fonctions.

Il est possible d'observer quelques rôles types dans cette zone du pouvoir. Par exemple : la leader, la lieutenante, la suiveuse, la soumise, l'autoritaire, la dépendante, la rebelle, etc.

La zone de la tâche

La tâche à accomplir, c'est l'objectif du groupe, sa raison d'être. Dans cette zone, le groupe veut organiser son travail de manière à réaliser la tâche qu'il s'est donnée ou qu'on lui a confiée. Le groupe, pour atteindre son efficacité, franchit habituellement quatre étapes.

1. **Moi plus que la tâche.** À cette première étape on parle plus de soi que du travail à accomplir. Les informations livrées sont liées au thème, mais elles ne sont ni évaluées, ni critiquées. On entend beaucoup de « j'ai déjà fait telle chose… j'ai connu un tel… j'ai lu tel rapport… »). Le travail est donc superficiel.
2. **Apports plutôt conventionnels.** On commence à s'interroger sur les renseignements apportés, s'informant sur leur origine. Mais on se contente de réponses plus ou moins stéréotypées, basées sur le sens commun ou sur les connaissances communes. L'apport de chacune tend à justifier ses propres idées.
3. **Questions fondamentales.** On s'attarde maintenant sur chaque point discuté. Les positions de chacune sur des questions importantes sont rendues publiques. On explore plusieurs avenues pour effectuer la tâche.
4. **Collaboration réelle.** Les membres du groupe sont maintenant plus détendues et ne tentent plus de cacher leurs positions sur les sujets discutés. Les membres se stimulent mutuellement et les malentendus sont vite dissipés. Les idées nouvelles ont maintenant leur place et sont même souhaitées.

Ici encore quelques rôles types sont identifiables, par exemple la spécialiste, la personne-ressource, l'experte en procédures, la critique, le « frein », l'accélératrice, etc.

Ajoutons que certains autres rôles types apparaissent souvent dans un groupe, mais ils sont liés aux besoins personnels de certaines membres plutôt qu'à l'une des zones analysées plus haut. Mentionnons dans ce cas l'agressive, l'intéressante, la manipulatrice, l'opposante systématique, la déviante, la délinquante, l'extrémiste, l'avocate d'intérêts particuliers, etc.

À l'aide de cette grille d'analyse, vous êtes en mesure de mieux comprendre la dynamique d'une équipe de travail.

- Quel est actuellement l'état de votre groupe de travail ?

 ____

 ____

- Votre groupe manifeste-t-il des signes évidents de maturité ?

 ____

 ____

- Vos réunions sont-elles efficaces ou ennuyeuses et interminables ?

 ____

 ____

Si vous désirez améliorer la qualité de vos réunions, nous vous suggérons une activité[2] qui a déjà fait ses preuves.

Dès votre prochaine réunion d'équipe, munissez chaque participante de trois petits cartons : un vert, un jaune et un rouge, aux couleurs des feux de circulation dans nos rues. Décidez en équipe de respecter la consigne selon laquelle, avant de prendre la parole, toute

2. Cette suggestion s'inspire du *Petit code de la communication* de Yves St-Arnaud, Montréal, Éditions de l'Homme, 2004.

participante doit montrer l'un de ses trois cartons en fonction de sa réponse à la question suivante: « Dans quelle mesure le message de celle qui vient de parler me convient-il, me plaît-il ou suscite-t-il mon accord ? »

- « Oui »: carton vert
- « Plus ou moins »: carton jaune
- « Non »: carton rouge

Vous pouvez maintenir l'application de cette consigne durant quelques réunions. Assez rapidement les membres de l'équipe en viendront même à faire voir leurs cartons pendant qu'une autre parle. Ce simple procédé incite fortement chaque personne à écouter ce qu'une autre dit, assez du moins pour pouvoir réagir en levant un carton. Vous noterez alors que vos réunions sont plus courtes et plus efficaces, que le contenu est moins échevelé et que les participantes en sortent plus satisfaites.

Dans une allégorie cohérente du début à la fin de son ouvrage, Yves St-Arnaud applique à la communication le Code de la route, la route correspondant aux attentes d'une personne dans ses échanges avec une autre personne qui « circule » avec elle. Il dégage ainsi douze procédés de communication pour « avancer » ou émettre un message et douze procédés de communication pour « freiner » ou écouter son interlocutrice de façon active.

Nous présentons brièvement ces procédés et nous vous invitons à vous poser la question suivante: « Quels sont les procédés que j'utilise régulièrement dans mes communications interpersonnelles ou en groupe et quels sont ceux que j'aurais avantage à développer ? » Plus on maîtrise et utilise régulièrement ces différents outils, selon les circonstances, plus nos communications sont efficaces.

« AVANCER » (émettre)

1. ***Renseigner sur la situation***
   Communiquer des faits vus, entendus ou lus.
2. ***Énoncer mon point de vue***
   Affirmer ce que je pense, veux ou ressens.
3. ***Évaluer la situation***
   La façon dont je l'explique est-elle juste ou non ?
4. ***Interpréter les propos***
   Dire à l'autre quel sens je donne à ses propos (p. ex. : « Belle rationalisation » ou « Tu te mets toujours sur la défensive »).
5. ***Préparer la suite***
   Dévoiler mes intentions, dire ce que j'attends de la rencontre ou comment je souhaite fonctionner.
6. ***Réagir personnellement***
   Ma réaction ou feed-back au comportement de l'autre (p. ex. : « Tu n'as pas l'air de t'intéresser à ce que je te dis » ou « Tu ne sembles pas m'écouter vraiment »).
7. ***Proposer une action***
   (p. ex. : en reparler au restaurant, prendre des vacances.)
8. ***Conseiller une action***
   Dire ce que l'autre pourrait faire pour résoudre le problème ou agir efficacement (p. ex. : « Va le dire à la personne concernée » ou « Évite de tout laisser traîner »).
9. ***Demander ou commander une action :***
   (p. ex. : « Pourrais-tu... » ou « Donne-moi... ».)
10. ***Fournir une référence***
    Une personne à consulter, un livre, un film, une adresse électronique.
11. ***Encourager, soutenir, réconforter, rassurer***
    (p. ex. : « T'es capable... », « Le pire est passé... », « Tu comprends mieux maintenant... ».)
12. ***Parler du suivi***
    Les choses à faire après la rencontre.

Il importe de varier ses procédés et de ne pas réutiliser un procédé qui s'est révélé inefficace.

« FREINER » (écoute active)

1. ***Écouter attentivement***
   Montrer son intérêt par des manifestations non verbales, par exemple une attitude d'écoute, une expression faciale, le silence ou des sons comme « hum ! » « OK ! ».
2. ***Interroger sur les faits***
   Des faits concrets ou des événements qui illustrent le propos (p. ex. : « As-tu des exemples ? »).
3. ***Poser une question générale***
   C'est une invitation à l'autre à donner son point de vue, à parler d'elle, à dire ce qu'elle ressent ou pense (p. ex. : « Comment vis-tu ça ? », « Comment te sens-tu là-dedans ? »).
4. ***Interroger les intentions***
   Qu'est-ce que l'autre veut ou souhaite ou attend de la conversation ? (p. ex. : « Qu'est-ce que tu voudrais que je fasse ? »)
5. ***Reformuler les propos***
   Reprendre en d'autres mots ce que l'autre vient de dire (p. ex. :« Si je comprends bien, tu penses ou souhaites que... »).
6. ***Refléter son expérience émotive***
   Dire ce qu'on comprend de ce que vit l'autre (p. ex. : « Depuis que ta collègue est partie, tu te sens bien seule »).
7. ***Accentuer un élément***
   Choisir une phrase ou un mot dans ce que l'autre vient de dire et le répéter sans rien ajouter, sur un ton qui l'incite à en dire plus (p. ex. : « Enfin, j'ai eu ma permanence et je vais pouvoir réaliser mon projet. – Ton projet ?... »).
8. ***Vérifier ma compréhension***
   (p. ex. : « Est-ce que j'ai bien compris ? Tu es un peu fatiguée de ton travail ou tu veux partir ? »)
9. ***Demander de répéter***
   (p. ex. : « Qu'est-ce que tu racontes ? Comment dis-tu ça ? »)
10. ***Ratifier une proposition***
    (p. ex. : « Es-tu d'accord avec moi ? Acceptes-tu mon invitation, mon offre ? »)
11. ***Anticiper une action***
    Inviter à décrire cette action en détail, très concrètement (p. ex. : « Comment vas-tu t'y prendre lors de cette rencontre ? »).
12. ***Inviter la personne à l'autocritique***
    À peser les avantages et les inconvénients, à s'évaluer elle-même dans la situation.

Tout au long de ces échanges, il est également conseillé d'activer votre « radar émotionnel » afin de vérifier si vous aimez les effets que vous produisez au regard de vos intentions. Sinon il vous faut vite revoir les procédés utilisés.

En somme, pour réaliser votre plan d'action, le travail d'équipe et la communication doivent atteindre une certaine qualité, pour ne pas dire une qualité certaine.

Pour en savoir plus...

Bareil, C. (2004). *Gérer le volet humain du changement*, Montréal, Transcontinental.

Landry, S. (à paraître, 2007). *Travail, affection et pouvoir dans les groupes restreints,* Québec, Presses de l'Université du Québec.

St-Arnaud, Y. (2004). *Le petit code de la communication*, Montréal, Éditions de l'Homme.

6

DÉNOUER LES CONFLITS

Dans votre organisation, les communications interpersonnelles et les travaux en équipe sont peut-être le théâtre de conflits. On peut comprendre que, pour sauvegarder l'image de votre organisation, vous ayez tendance à nier leur existence. Cette attitude semble en effet très répandue.

De récents sondages menés auprès de plusieurs gestionnaires québécois révèlent ainsi qu'une majorité d'entre eux déclarent: « Il n'y a pas de conflits dans mon organisation, seulement des personnes difficiles qu'on n'arrive pas à faire travailler ensemble. » En réponse à d'autres questions, ces mêmes personnes avouent consacrer beaucoup de temps à contenir, éviter et gérer les conflits. Sur un autre plan, on observe une augmentation vertigineuse des prises de congé de maladie, ainsi que des absences prolongées pour épuisement professionnel ou dépression. Les conséquences sont évidemment néfastes pour les personnes touchées en plus d'accroître les coûts de production des biens et services.

Comme nous l'avons déjà vu, dans toute communication interpersonnelle en dyade ou en groupe trois dimensions sont toujours présentes: le contenu ou la tâche, le pouvoir et l'émotion ou l'affection. Dans un groupe cohésif comme dans une interaction saine, les enjeux liés au pouvoir et à l'émotion sont suffisamment stables pour permettre des divergences sur le contenu et soutenir la confrontation d'idées. Dans certains cas, les idées peuvent même nettement s'opposer ; on parle alors de conflits cognitifs. Il est cependant possible de régler ces conflits de façon objective, rationnelle et analytique. Dans ces situations vous pouvez vous reporter au processus d'action présenté à la section 4.

Dans les autres cas, l'objet du conflit devient seulement un prétexte et tout se joue de façon indirecte dans les volets de l'émotion et du pouvoir. On parle alors de conflits relationnels. Ces conflits ne peuvent être abordés de la même façon que les conflits cognitifs. Enfermées dans ces tensions relationnelles, les personnes vivent une dynamique de compétition et non de collaboration. Dans la suite de notre propos, quand nous parlerons de « conflit » nous ferons référence à ces tensions relationnelles.

Signalons avant tout quelques obstacles au dénouement satisfaisant d'un conflit.

- Aborder la situation avec une pensée linéaire, en s'attardant uniquement à la recherche des causes. On entre alors dans la dynamique du blâme et de la recherche du coupable.
- Être convaincu qu'il n'existe qu'une seule réalité, objective. En fait, il y a diverses versions d'une même réalité. C'est la manière dont on voit le problème, compte tenu de ses besoins et de ses émotions, qui est le problème.
- Nier ou être incapable de supporter le paradoxe et la complexité. Dans toute situation on assiste à la présence à la fois de l'ordre et du désordre.
- Vouloir changer l'autre, l'une des personnes en conflit.
- Ne pas trouver le temps de s'occuper des conflits ou juger que ce n'est pas important.

On peut dégager quatre étapes dans la gestion adéquate d'un conflit :

1. Procéder à l'analyse de la situation conflictuelle.
2. Choisir une orientation pour intervenir.
3. Concevoir et appliquer une stratégie.
4. Assurer un suivi.

Explicitons brièvement ces étapes.

L'analyse de la situation

Au moment d'analyser la situation conflictuelle, il ne s'agit surtout pas d'en faire l'histoire ni d'en chercher la cause. L'objectif essentiel de cette analyse est de trouver des pistes possibles de dénouement. À cet effet, il est souhaitable de prendre en compte les cinq dimensions suivantes.

- L'objet exact du conflit : en décrire concrètement la forme en s'appuyant sur des faits précis et observables et non sur des jugements à l'emporte-pièce, sur des interprétations ou sur des rumeurs.
- Le degré d'implication émotive : plus il est élevé et moins l'on parvient à s'entendre sur l'objet du conflit ou, si l'on veut, plus le déficit cognitif est grand. Certains signes permettent d'évaluer cette intensité. Par exemple, en présence de « l'ennemi » on ressent des manifestations physiques de stress ; on pense à lui, même en dehors des heures de travail ; en sa présence on perd ses moyens.

- L'incidence : quels sont les effets du conflit sur les personnes concernées (estime de soi), sur l'équipe (baisse de la production) et sur le climat de travail (lourdeur) ?
- Le retour sur les pistes de solution déjà explorées : on se garde de répéter les tentatives de solution qui furent sans résultats, sinon on aggrave le conflit. On évite ainsi de faire de plus en plus la même chose inefficace !
- La nécessaire mise à jour de la dynamique de l'interaction conflictuelle : on est toujours en présence d'un modèle circulaire. La conduite de X suscite la réaction de Y qui pousse X à réagir, ce qui force Y à réagir à son tour pour ne pas perdre la face et ainsi de suite, sans arrêt.

Le choix de l'orientation

Une fois la situation bien analysée, vous êtes appelé à choisir une orientation pour intervenir, que ce soit dans un conflit au sein duquel vous êtes partie prenante ou dans un conflit entre deux de vos collaborateurs. À la suite de nombreuses recherches on a pu dégager quatre types d'approches : la compétition, la collaboration, l'évitement et l'accommodement. Chaque approche regroupe des comportements spécifiques.

Compétition

- Tenter d'imposer son point de vue plus ou moins directement sans tenir compte de l'autre, à partir du pouvoir dont on dispose.
- Créer des situations claires : gagner ou perdre.

- Avoir recours à des jeux de pouvoir pour arriver à ses fins (p. ex. : « Si tu fais ça, je m'en souviendrai ! »).
- Stimuler la rivalité.
- Former des coalitions, des clans.

Collaboration

- Vouloir régler le conflit de manière à intégrer les façons de voir, les valeurs, les attentes et les contraintes des deux parties.
- Clarifier et confronter les différences.
- Mettre en commun les attentes, les idées, les valeurs.
- Travailler conjointement à dégager des pistes de solution nouvelles.
- Considérer les problèmes et les conflits comme des défis à relever.

Évitement

- Ignorer le conflit, fermer les yeux, compter sur le passage du temps pour que ce conflit se dénoue.
- Avoir recours à des méthodes très lentes pour réprimer le conflit (s'offrir un délai).
- Faire appel à des considérations rationnelles, techniques et procédurales pour résoudre le conflit.

Accommodement

- Faire les concessions nécessaires à la réconciliation (s'oublier). Le fait de lâcher prise provoque souvent souffrance et honte pendant un certain temps.

L'application de la stratégie

Aucune approche n'est bonne ou mauvaise en soi. Quelle est celle que vous utilisez habituellement ? Avez-vous les habiletés nécessaires pour recourir aux autres approches ? Cette dernière question est particulièrement importante, parce que ce sont les situations conflictuelles qui commandent en bonne partie l'approche pertinente. Quels sont les critères qui vous permettraient de choisir l'approche pertinente selon la situation ?

Compétition

- Vous voulez engager une action rapidement.
- La décision est urgente.
- Une mesure disciplinaire s'impose.
- Vous êtes chargé de mettre en place un changement impopulaire.
- Les autres approches ont échoué, c'est le dernier recours.
- Les enjeux se situent au plan des finalités.
- Vous devez vous protéger contre les personnes qui exploitent votre bonne volonté (« Ça suffit ! »).

Collaboration

- Les enjeux sont importants.
- Les intérêts individuels sont compatibles.
- L'apprentissage est une composante importante.
- Le conflit porte sur les moyens et non sur les finalités.
- On est disposé à y consacrer le temps nécessaire.

Évitement

- L'enjeu est peu important.
- Il y a des problèmes plus urgents.
- Les possibilités d'atteindre votre but sont faibles.
- Le processus de résolution du conflit causerait plus de tort que le conflit lui-même.
- Le degré d'émotivité est trop élevé.

Accommodement

- Vous vous rendez compte que vous avez commis une erreur.
- L'enjeu du conflit est beaucoup plus important pour l'autre que pour vous.
- Il faut vous bâtir un capital politique pour faire face à d'autres situations plus importantes.
- Vous devez faire preuve de bonne volonté.

Vous constatez facilement qu'il y va de votre intérêt de développer les talents nécessaires pour utiliser efficacement chacune de ces quatre approches, même si votre personnalité et votre mode de gestion vous incitent à privilégier l'une ou l'autre de ces conduites.

Le suivi

Vous disposez maintenant des éléments nécessaires pour opter en toute connaissance de cause pour une stratégie efficace. Signalons cependant que vous devrez appliquer la stratégie assez longtemps pour que ses effets se fassent sentir. Il importe aussi que vos intentions soient très claires. Au besoin, vous pouvez avoir recours à un tiers, qu'il soit de l'intérieur ou de l'extérieur de votre organisation, pour vous aider à améliorer la situation conflictuelle.

Il reste à assurer un suivi à vos interventions. Cette étape est trop souvent négligée. C'est pourtant par le suivi que l'on peut vérifier dans quelle mesure les personnes en conflit ont réussi à rétablir une relation moins conflictuelle. Les conséquences du conflit sont-elles en voie de se résorber ? Qu'avez-vous appris de vos interventions dans ce conflit ?

Prévenir les conflits destructeurs

Indépendamment de votre volonté, il y aura toujours des conflits dans votre organisation. Vous pouvez cependant mettre en place certaines mesures pour en prévenir la prolifération. À cette fin, nous suggérons quelques mesures éprouvées.

Il importe d'abord que vous apprivoisiez le conflit. Il y aura toujours des conflits en raison des éléments déjà évoqués, mais il semble clair que le fait de fermer les yeux sur ces situations n'aide pas à les prévenir. Formez-vous par ailleurs une certaine carapace qui vous évitera de recevoir toute critique comme une attaque à votre personne. D'une certaine manière, le conflit sert aussi à rééquilibrer le système, ainsi que nous l'avons vu à la section 3. C'est pourquoi il peut être utile d'encourager vos collaborateurs à formuler des critiques tout en respectant un certain savoir-vivre organisationnel, respectueux des personnes. Enfin, il ne faudrait jamais perdre de vue que le travail n'est pas toute notre vie ; un certain détachement aide à éviter de s'enfoncer dans des conflits destructeurs.

Formalisez vos pratiques de gestion. À cet effet, clarifiez les rôles et les responsabilités de chacun. Si les définitions sont trop floues et si l'on perçoit un certain favoritisme, les possibilités d'émergence de conflit augmentent. Donnez-vous donc des règles de décision claires et, surtout, mettez tout en œuvre pour les respecter. Souciez-vous continuellement d'intervenir au bon niveau, c'est-à-dire directement auprès des personnes concernées, et si le conflit ne touche que deux personnes n'en faites pas état à l'occasion d'une réunion d'équipe.

Améliorez votre capacité à donner et à recevoir du feed-back. Voilà deux méga-compétences importantes qui font appel à l'adaptabilité et à la conscience de soi dans l'action.

Mettez rapidement en place un programme de gestion des conflits en évitant le danger qu'il soit trop structuré, donc en partie inaccessible. Dans le cadre de ce programme il convient de vous assurer qu'une saine confrontation a sa place, que les différends mineurs sont rapidement réglés et qu'il existe une véritable valorisation des différences. Mettez continuellement l'accent sur l'avenir et non sur l'explication stérile des problèmes par leur genèse. Concevez fondamentalement les conflits comme d'excellentes occasions de développement personnel. Soutenez adéquatement vos collaborateurs responsables de la gestion de conflits par des processus de consolidation d'équipe et par leur participation à des groupes d'autodéveloppement grâce à des ressources externes.

S'ils sont bien gérés grâce à des interventions pertinentes, les conflits peuvent devenir autant d'occasions d'améliorer le fonctionnement et le développement de votre organisation.

À vous d'y voir !

Pour en savoir plus....

Cormier, S. (2004). *Dénouer les conflits relationnels en milieu de travail*, Québec, Presses de l'Université du Québec.

7

PILOTER LA COMMUNICATION

Tout au long de ce livre, nous avons placé la communication à la fois au cœur de nos propos et au centre de l'organisation. Il convient donc maintenant d'inventorier les différents moyens de communication dont vous disposez, tant pour vos communications internes que vos rapports externes. Bien sûr, les divers moyens proposés doivent être adaptés à la taille de votre organisation et à ses valeurs dominantes. Vous seule savez comment y parvenir. À la lecture de cet ensemble de moyens, vous pouvez faire un premier survol en répondant aux questions qui suivent.

- Quels sont les moyens que vous utilisez ?

  ____

  ____

  ____

- Jusqu'à quel point sont-ils efficaces au regard de vos intentions ?

  ____

  ____

  ____

- Quels sont ceux que vous pourriez aussi mettre en œuvre ?

Les communications internes

Les objets de communication à l'intérieur de l'entreprise ou de l'organisation peuvent généralement se regrouper selon quatre types.

- Les opérations: spécifications sur les produits ou les services, les techniques de fabrication, les marchés, etc.;
- La cohésion: maintien des rôles et des règles, avertissements, félicitations, etc.;
- L'innovation: nouveaux plans, changements, programmes, projets, etc.;
- L'émancipation (la dimension humaine): estime de soi, relations interpersonnelles, accomplissement, etc.

Ces communications peuvent emprunter des voies formelles ou informelles. Nous nous limiterons ici à la voie formelle pour signaler trois catégories de moyens à votre disposition: les moyens oraux, les moyens écrits et les supports techniques.

Moyens oraux

Visite informelle

La visite informelle, c'est l'arrivée inattendue de la responsable parmi ses collaboratrices, sur le terrain, pour les saluer et prendre de leurs nouvelles. La fréquence de ces tournées et votre capacité à établir de véritables dialogues contribuent de manière importante à caractériser votre style de gestion. Souvent, les gestionnaires qui osent ainsi sortir de leur bureau parlent plus qu'elles n'écoutent, soulevant ainsi maintes frustrations. On peut aussi associer à ces tournées la *visite d'entreprise* ou « portes ouvertes », qui permet de faire connaître l'organisation aux membres, à leur famille et au public en général. Les visites favorisent le décloisonnement des postes de travail, augmentent la cohésion entre les équipes et améliorent le sentiment d'appartenance.

Entretien individuel

L'entretien face à face est le moment idéal pour une communication directe. L'entretien individuel marque généralement les étapes de la vie de travail d'une employée : accueil, mutation, promotion, évaluation ou départ. Évidemment, selon la taille de votre organisation, cette opération prendra plus ou moins de temps. Mais, dans tous les cas, l'entretien individuel constitue une occasion privilégiée pour recueillir les perceptions de vos employées et jeter les bases d'un véritable dialogue.

Réunion d'information

La transmission d'informations peut aussi faire partie de vos réunions régulières d'équipe et toucher les opérations, la cohésion et l'innovation. Pour vous assurer que l'information est bien comprise, il importe de réserver une période pour les questions, les commentaires et les suggestions. Ainsi que nous l'avons déjà signalé, un document écrit devrait suivre la transmission orale, et ce, dans les meilleurs délais, afin d'éviter la création et la propagation de rumeurs. À la réunion d'information on peut ajouter la conférence, qui se tient généralement devant un public plus vaste.

Groupe d'étude

Le groupe d'étude est généralement un comité spécial constitué pour tenter de résoudre un problème particulier dans un temps limité. Si ce groupe devient plus stable, on parle alors d'une « commission ». Ce genre de groupe comporte plus de communications latérales que de communications hiérarchiques; il favorise les interactions, la créativité de chacune et la prise de responsabilité personnelle. Pour que ce groupe soit efficace, il importe cependant que son mandat soit très précis et que ses principales conclusions soient largement diffusées.

Lunches

Ajoutons ici les lunches, moyen très largement utilisé et plus ou moins informel. Le thème de ces rencontres est rarement précis et le lunch est souvent l'occasion d'enrichir votre connaissance des « secrets organisationnels » et de mieux connaître vos employées (voir la section 9). Par ailleurs, la convivialité et le bon vin aidant, vous pourriez être amenée à livrer des données que vous souhaitiez garder confidentielles. Ici, surtout, « la modération a bien meilleur goût ».

Moyens écrits

- ***Procès-verbal***

Le procès-verbal permet de diffuser, rapidement et auprès des bonnes personnes, le compte rendu des réunions.

- ***Note de service***

La note de service ou note d'information contient normalement des renseignements précis et relativement brefs, par exemple sur une nouvelle procédure mise en place. L'efficacité des notes de service apparaît presque inversement proportionnelle à leur fréquence. Il faut, par conséquent, éviter l'inondation qui provoque le désintérêt des lectrices. À la note de service on peut associer le *tract*, qui présente une information-choc, rapide et sans nuances (p. ex.: rappel d'une assemblée importante).

- ***Babillard***

Le babillard est un tableau sur lequel on affiche certaines informations brèves et de portée générale. Ce babillard doit être placé dans un endroit fréquenté. Sa mise en ordre et son « nettoyage » doivent être faits régulièrement afin d'éviter que tous les petits papiers s'accumulent et perdent ainsi toute visibilité.

- ***Lettre***

La lettre adressée au personnel est réservée pour les événements importants et elle est signée par la directrice générale ou la directrice des ressources humaines. Elle permet de dissiper plusieurs rumeurs. Pour que son impact soit encore plus grand, on expédie cette lettre au domicile de chaque employée, de préférence vers la fin de la semaine pour donner le temps à chacune d'y réfléchir avant d'en discuter au travail. Pour annoncer certains événements plus personnels (promotion, mesure disciplinaire, congédiement, etc.), on utilise évidemment la *lettre individuelle*.

Journal d'entreprise

Le journal d'entreprise est une sorte de bulletin de liaison qui favorise le sentiment d'appartenance. Généralement mensuel, il comporte quelques nouvelles liées au travail, mais aussi des invitations à des événements sociaux, des reportages sur ces événements, des vœux d'anniversaire, des indications de départ à la retraite, des événements cocasses, etc. Dans certaines grandes entreprises, ce journal prend la forme d'un magazine.

Bulletin spécialisé

Le bulletin spécialisé contient des informations, la plupart du temps de nature technique, qui s'adressent à une catégorie particulière d'employées, spécialisées dans une fonction spécifique. Pour ces collaboratrices, le bulletin constitue une marque de considération tout en contribuant à leur perfectionnement continu.

Boîte à idées

La boîte à idées ou à questions ou à suggestions doit être placée dans un endroit stratégique connu de toutes. Elle permet la communication ascendante, qui demeure souvent anonyme. Pour inciter les employées à continuer d'utiliser ce moyen, il est important que des réponses soient données assez rapidement à leurs questions et suggestions. On peut utiliser les réunions d'équipe à cette fin.

Sondage

Le sondage ou enquête d'opinion constitue une bonne façon de recueillir les opinions et les aspirations des employées relativement à une situation que l'on veut améliorer. En plus de vous aider à formuler un diagnostic plus pertinent sur cette situation, le sondage alimente un climat de communication. Dans ce cas également, il est important d'assurer un suivi en communiquant quelques résultats, si vous ne voulez pas que la prochaine enquête voie son taux de réponse diminuer de façon marquée.

Revue de presse

Dans certaines grandes organisations, le service des communications prépare régulièrement une revue des articles publiés sur l'organisation, ses concurrents ou ses partenaires. Cette revue est distribuée aux cadres supérieures afin de les éclairer dans leur prise de décision.

Supports techniques

Courriels

Les échanges par courrier électronique représentent un moyen rapide, efficace, dans l'esprit du « juste-à-temps ». Malheureusement, à plusieurs endroits, les abus de ce moyen engendrent une pollution contre laquelle plusieurs employées se protègent. De plus, comme vous le savez sûrement, certaines employées détruisent des messages à la seule vue du nom de l'expéditrice. Par ailleurs, d'autres doublent l'opération d'envoi d'un message en téléphonant à la personne visée pour lui dire de lire son message électronique et, souvent, profitent de l'occasion pour lui en livrer le contenu. On assiste en outre à la prolifération des « copies conformes ». Certaines y ont recours pour se protéger, d'autres les utilisent à outrance pour faire connaître leurs bons coups. Dans tous les cas, cette pratique des copies conformes peut avoir un effet négatif sur la réputation de leur expéditrice. Ici encore, « la modération a bien meilleur goût ».

Aides visuelles

Les aides visuelles comprennent les rétroprojections, les tableaux électroniques, les diaporamas PowerPoint, etc. Ces supports sont souvent utilisés à l'occasion de conférences, de réunions ou de cours. Ils sont fort utiles pour présenter des données chiffrées et des tableaux. Utilisés avec justesse, ils sont pertinents. Mais certaines personnes en sont venues à ne plus pouvoir prendre la parole en public sans un support visuel. Par exemple, il arrive dans certaines conférences que chaque page du contenu à transmettre est projetée sur écran, alors que chaque personne de l'assistance a en main le même contenu sur papier, le conférencier se limitant à lire le texte affiché à l'écran. Or, pour être utiles, les aides visuelles doivent être seulement un ajout à un contenu transmis, par ailleurs, de manière dynamique et vivante.

Vidéo

Le document audiovisuel sert à présenter l'organisation à une future clientèle ou aux nouvelles employées pour amorcer leur formation. Bien qu'il est souvent onéreux sur le plan de la préparation, ce document peut se révéler très utile, car il intègre la force du spectacle.

- ***Téléconférence***

  La téléconférence permet de tenir des réunions à distance à l'aide de l'image et du son. Ce procédé est coûteux, mais il est de plus en plus utilisé en raison de la mondialisation des échanges commerciaux. La téléconférence permet d'éviter certains voyages et de gagner ainsi du temps, surtout dans le cas d'interlocutrices qui se sont déjà rencontrées personnellement.

- ***Interphone***

  L'interphone (*intercom*) diffuse de très brefs messages par haut-parleur. C'est un moyen souple qui permet de transmettre une information de façon instantanée. On l'utilise notamment dans les hôpitaux et dans les écoles.

Les communications externes

Nous faisons référence ici à plusieurs formes de communications : publicité, marketing, relations publiques, commandite, etc. L'espace ne nous permet pas d'examiner de façon satisfaisante tout ce vaste champ qui est en constante évolution et qui fait appel au monde des médias. Nous nous limiterons donc à quelques remarques sur ces rapports externes, à quelques notes sur le monde des médias et à des précisions sur la « conférence de presse », qui nous fournira l'occasion de considérer plusieurs autres outils de façon concrète.

Comme dans toute communication, vous êtes d'abord conviée à bien déterminer à qui vous destinez votre message, c'est-à-dire votre public cible. Quelles sont ses caractéristiques (âge, sexe, ethnie, niveau d'instruction, valeurs et habitudes dominantes, clientèle, public en général, etc.) ? La réponse à cette question vous permettra de délimiter le « corridor de l'acceptable » sur le plan du contenu, de la forme et du vocabulaire.

Vous êtes aussi invitée à préciser vos intentions : que voulez-vous susciter chez ces personnes (attirer leur attention, éveiller leur intérêt, susciter leur désir, les inciter à l'action) ? Votre message devra être clairement orienté vers l'objectif visé. Vous serez alors appelée à recourir aux médias.

Avant tout, il ne faut pas oublier que l'ère dite des communications de masse est terminée. On assiste maintenant à la segmentation des auditoires et à leur fragmentation en catégories de personnes, en heures d'écoute et selon les médias. On est passé de la masse indistincte aux « niches ». On observe ainsi une complémentarité des médias. Il vous faut donc choisir les moyens pertinents en tenant compte de votre public cible et de l'objectif de votre message.

Pour que le message passe bien, chaque média comporte ses exigences.

- Pour la radio : le ton, le débit et le vocabulaire.
- Pour la télévision : l'apparence et le décor.
- Pour la presse écrite : le vocabulaire, la clarté et la simplicité.

Quant à votre site Web, il est un complément, une image de l'entreprise et de ses services. Ce sont les autres médias qui vous amèneront des visiteurs.

Les médias, ces intermédiaires incontournables, ont aussi leurs caractéristiques et leurs contraintes. Ils distinguent entre :

- les manchettes ;
- les nouvelles importantes ;

- les faits divers;
- les banalités sur le fil de presse que l'on ne diffuse pas.

Vos communications doivent viser les « nouvelles importantes », quitte à dramatiser un peu votre contenu. Chaque média véhicule ses priorités éditoriales, ce qui commande le choix des nouvelles et la place que celles-ci occuperont.

Les médias ont aussi leurs contraintes:

- l'heure de tombée pour l'édition qui suit;
- l'espace ou le temps disponible;
- la compétition pour obtenir une exclusivité (le scoop).

Nous vous suggérons donc d'entretenir d'excellentes relations avec un petit réseau de journalistes.

La conférence de presse

Attardons-nous maintenant un peu à la conférence de presse. Voici quelques observations qui peuvent vous être utiles.

✓ Le moment le plus opportun pour cet événement se situe entre 10 heures et 15 heures, en raison de l'heure de tombée imposée aux journalistes. Espérez par ailleurs qu'un événement imprévu et de grande importance ne les fera pas fuir votre conférence.

✓ Il faut choisir la date en fonction des disponibilités des personnes clés (« en présence de... ») et inviter ces personnes par lettre après entente sur leur disponibilité et intérêt.

✓ Il convient de prévenir les journalistes sur le « fil de presse » une dizaine de jours avant l'événement et de leur envoyer un rappel la veille.

✓ Choisissez les médias qui sont à vos yeux les plus importants et téléphonez aux journalistes concernées. Si vous visez le public en général, n'oubliez pas les hebdomadaires régionaux, qui sont beaucoup plus lus qu'on ne le croit.

✓ En téléphonant aux journalistes choisies, éveillez leur intérêt, mais sans révéler la primeur.

✓ Choisissez un lieu et un décor cohérents avec le contenu de la conférence. Par exemple, on n'annonce pas une fermeture d'usine dans un décor faste. Assurez-vous aussi que ce lieu est facile d'accès et qu'il offre un stationnement à proximité (pensez aux caméras).

- ✓ Choisissez une porte-parole crédible, une personne importante dans votre organisation et qui passe la rampe sur les plans visuel et sonore.
- ✓ Préparez une pochette de presse qui contient d'abord et avant tout un communiqué d'une page que vous pourrez expédier aux journalistes absentes après le début de la conférence. Dans cette pochette, ajoutez quelques documents apportant un supplément d'information sur votre organisation: ce que sont sa mission, ses priorités, le nombre d'employées et de clientes, son implication dans la communauté, etc.
- ✓ Pensez à offrir du café, des jus et des grignotines.
- ✓ Assurez-vous de commencer à l'heure et de terminer une quinzaine de minutes plus tard afin de laisser place aux questions. Ces journalistes ont d'autres rendez-vous.
- ✓ Rendez-vous ensuite disponible pour des entrevues, y compris des entrevues téléphoniques. Assurez-vous que la personne affectée aux entrevues est à l'aise avec les médias. Préparez à cet effet des phrases-chocs et des mots clés qu'il lui faudra marteler. Souvenez-vous que les journalistes procèdent toujours à des montages et que 5 minutes d'entrevue seront résumées en 30 secondes ou en 10 lignes. Si vous vous estimez ensuite mal citée, on publiera peut-être un rectificatif le lendemain, mais le mal sera fait.
- ✓ Prenez la peine de contacter à nouveau les journalistes pour les féliciter de leur excellent travail. Elles ne reçoivent habituellement que des plaintes. Ce geste vous permettra d'entretenir de bonnes relations avec elles.

Bonne chance !

Pour en savoir plus...

Dagenais, B. (1998). *Le plan de communication: l'art de séduire ou de convaincre les autres*, Québec, Les Presses de l'Université Laval, 370 p.

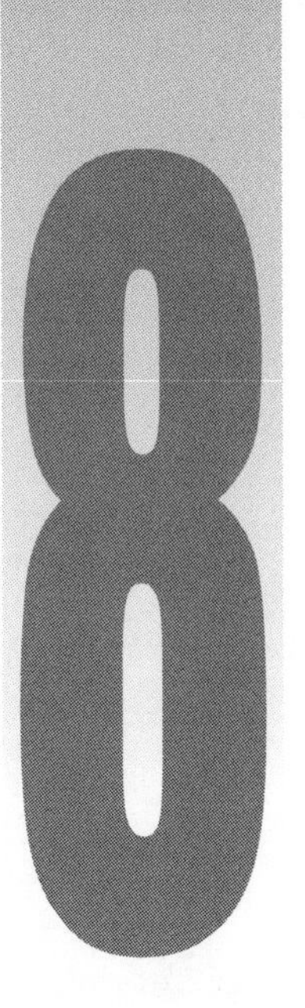

ASSURER SON PERFECTIONNEMENT

Si « gérer, c'est créer au quotidien », se développer comme gestionnaire signifie saisir toutes les occasions pour apprendre et prendre du plaisir à le faire, ce qui correspond à l'autodéveloppement.

Les conditions de l'autodéveloppement

L'ouverture à l'apprentissage est indispensable pour devenir plus compétent et se développer comme gestionnaire. Une telle ouverture demande que l'on considère les événements de sa vie comme des occasions d'apprentissage et de développement.

À cet égard, il convient de rappeler que :

- les possibilités de développement en matière de gestion sont illimitées ;
- l'efficacité comme gestionnaire s'apprend à partir de la réflexion sur son action ;
- la personne même du gestionnaire demeure son principal outil de gestion.

Se développer comme gestionnaire résulte non pas d'un apprentissage technique, mais plutôt de l'expérience vécue et de la réflexion sur sa pratique. Ce développement implique un investissement personnel constant dans trois processus favorisant l'apprentissage :

- se connaître et connaître l'environnement ;
- apprendre de ses erreurs ;
- recevoir du feed-back.

Se connaître et connaître l'environnement

Se connaître et connaître l'environnement conduit à raffiner les liens entre sa dynamique personnelle et les exigences de l'environnement. Quels sont les gestes ou les tâches que vous pouvez accomplir avec une relative aisance, alors que d'autres gestionnaires les trouvent difficiles et exigeants ? Ce sont vos ressources. Quelles sont les situations qui vous laissent tendu ou stressé ? Pour arriver à gérer ces situations de manière plus sereine, il vous faudra explorer d'autres chemins, des avenues différentes.

Pour connaître votre environnement, vous avez besoin de grilles d'analyse. À cet effet, la section 3 contient de précieux outils.

Apprendre de ses erreurs

Pour devenir peu à peu plus efficace comme gestionnaire, il faut être disposé à prendre des risques calculés. Ce faisant, on s'expose à commettre des erreurs, lesquelles, par ailleurs, offrent de multiples possibilités d'apprentissage. Il ne s'agit donc pas de se hâter d'oublier ces expériences, mais de les analyser rigoureusement afin d'y découvrir de nouvelles façons de composer avec l'environnement et des dimensions de soi insoupçonnées.

Recevoir du feed-back

Les auteurs s'entendent pour affirmer que les gestionnaires évoluent entre un modèle professé (le modèle exprimé en paroles et qui correspond à ce qu'on pense faire et à notre idéal) et le modèle pratiqué (le modèle exprimé par l'action, c'est-à-dire le modèle qui se dégage de ce qu'on fait vraiment). Les employés sont très sensibles à tout écart entre ces deux réalités. Pour améliorer ses compétences en gestion, il importe de faire coïncider le plus possible ces deux modèles de gestion. Le feed-back permet cet ajustement selon deux modalités : l'attention au feed-back implicite de l'entourage et la recherche de feed-back explicite à des moments précis. Sans feed-back, il est très difficile de connaître ses forces et ses limites en matière de gestion.

Le feed-back implicite

Le feed-back implicite désigne tous les messages plus ou moins allusifs que vous recevez concernant votre gestion. Si vous vous limitez à ce type de feed-back, vous disposerez d'une information peu valide. En effet, entre les remarques des employés complaisants et celles des rebelles, les possibilités d'interprétation sont multiples. C'est pourquoi il est nécessaire de compter sur du feed-back explicite provenant de source crédible.

Le feed-back explicite

Le feed-back explicite est celui que vous recevez de personnes qui vous expriment directement leur perception et leur analyse de votre gestion. Si votre patron est du genre « pas de nouvelles, bonnes nouvelles », il vous faudra prendre l'initiative de lui demander du feed-back spécifique. Vous pouvez également rechercher du feed-back sur des points précis de votre gestion auprès de collaborateurs en qui vous avez confiance.

Pour être utile, le feed-back doit être reçu avec une attitude d'ouverture. Par exemple, rechercher du feed-back en ayant pour principal objectif d'être confirmé dans son comportement ou sa décision, de se faire dire qu'on a bien eu raison d'agir ainsi ou qu'il n'y avait rien d'autre à faire peut être réconfortant sur le coup, mais offre peu de pistes de développement.

À côté des lectures, de l'assistance à des congrès ou colloques, de la formation offerte par l'organisation ou le réseau professionnel, deux dispositifs favorisent l'apprentissage de manière systématique ; il s'agit de l'accompagnement professionnel et du groupe de codéveloppement professionnel.

Le coaching en gestion

Cette expérience singulière est celle d'une rencontre humaine avant tout, entre le coach et le gestionnaire accompagné. Le coaching en gestion est un processus d'apprentissage personnalisé et centré sur les résultats escomptés en lien avec les intentions, qui permet au gestionnaire de développer ses talents de manière optimale et d'améliorer son efficacité professionnelle. Il est axé essentiellement sur l'accroissement des compétences personnelles et professionnelles. Le coach en gestion aide le gestionnaire à envisager des façons de faire différentes, il propose de nouvelles approches et aptitudes de gestion, il offre des perspectives inédites en matière de gestion et il soumet des outils d'analyse.

Le coach en gestion permet d'explorer de nouvelles façons d'interpréter la réalité. On y met l'accent sur les intentions du gestionnaire et sur ce qui lui manque pour les réaliser. Pour bénéficier de cet accompagnement professionnel, il importe de considérer les erreurs ou les blocages comme des occasions d'apprentissage et de développement.

Le coach en gestion fournit également un contexte approprié pour aborder les rapports entre travail et vie personnelle.

Il serait intéressant pour vous d'avoir recours à un coach quand, par exemple :

- vous désirez faire autrement et avec plus d'efficacité ce qui a toujours été fait d'une certaine manière et qui est devenu avec le temps intouchable ;
- la manière habituelle de résoudre certains problèmes ou conflits ne vous satisfait plus ;
- vous devez revoir votre façon d'établir et d'approfondir des relations interpersonnelles ;
- vous désirez valider votre analyse d'une situation complexe et avoir une autre perspective ;
- vous sentez le besoin de réfléchir sur votre manière d'exercer vos différents rôles et l'articulation entre eux : gestionnaire, conjoint, ami, parent, etc.

Le choix d'un coach

Le coach devrait avoir une très bonne expérience de la pratique de l'accompagnement professionnel et une formation pertinente.

- Il possède une formation dans le domaine ou l'équivalent.
- C'est un bon communicateur ; il sait provoquer des échanges enrichissants.
- Il se montre stimulé par le succès des autres.
- Il respecte profondément vos intentions, vos engagements et vos choix.
- Il mise sur le futur.

Avant de vous engager avec un coach et tout au long de la démarche, posez-vous les questions suivantes :

- Jusqu'à quel point y a-t-il confiance et respect mutuels ?

  ____

  ____

  ____

- Quelle est sa compréhension de ma situation, de mes ressources et de mon engagement ?

  ____

  ____

  ____

Plusieurs gestionnaires ont profité grandement de l'accompagnement d'un coach à divers moments de leur carrière. Cette formule vous intéresse ? Emploi-Québec fournit une aide en fonction de votre situation financière qui équivaut généralement à la moitié des honoraires et des frais de coaching.

Le groupe de codéveloppement professionnel

Cette méthode d'apprentissage a été mise au point par Adrien Payette et Claude Champagne. Le groupe de codéveloppement professionnel est une approche de formation pour des personnes qui sont disposées à apprendre les unes des autres afin d'améliorer leur pratique. L'un après l'autre, les participants jouent le rôle d'un client pour exposer un aspect de leur pratique de gestion qu'ils veulent améliorer, pendant que les autres agissent comme consultants pour aider ce client à enrichir sa compréhension de la situation et la qualité de son action.

Concrètement, un groupe de codéveloppement se compose de cinq à dix personnes, accompagnées d'un animateur, qui se rencontrent régulièrement (par exemple une fois par mois) pour une session d'environ trois heures. Ces rencontres sont tenues sur une période variant de six mois à un an; elles peuvent se prolonger tant que le dispositif répond aux besoins des membres du groupe. Généralement, un gestionnaire qui participe à un groupe de codéveloppement professionnel poursuit certains des objectifs suivants:

- apprendre à être plus efficace dans sa gestion;
- s'obliger à prendre systématiquement un temps de réflexion;
- appartenir à un groupe de gestionnaires où règnent confiance et solidarité;
- consolider son identité professionnelle en comparant ses pratiques de gestion à celles des autres;
- apprendre à aider et à être aidé comme client et comme consultant.

En somme, assurer son perfectionnement revient à se constituer un réseau de personnes-ressources permettant de profiter pleinement des occasions d'apprentissage qu'offre la gestion au quotidien.

Pour en savoir plus...

Gendron, P.J. et C. Faucher (2002). *Les nouvelles stratégies de coaching. Comment devenir meilleur gestionnaire*, Montréal, Éditions de l'Homme.

Payette, A. et C. Champagne (1997). *Le groupe de codéveloppement professionnel*, Québec, Presses de l'Université du Québec.

9

PRÉPARER LA RELÈVE

Tout en sachant fort bien qu'on n'occupera pas son poste éternellement, on a tendance à se sentir indispensable et à n'envisager concrètement son départ qu'à quelques mois de l'échéance. Non seulement se prépare-t-on alors un pénible passage à la retraite, si tel est le cas, mais le risque est grand de laisser son organisation plutôt désorganisée, du moins pour un certain temps. Pourtant, il est possible d'éprouver un sentiment de succès et de grande satisfaction à constater que l'organisation peut maintenant se passer de soi. Pour arriver à ce résultat, il importe de bien préparer une relève de grande qualité. Cette opération commence dès l'entrée en fonction de nouvelles collaboratrices.

Une intégration mutuellement réussie

Réussir l'intégration de nouvelles employées, c'est parvenir à développer un véritable « nous inclusif » en perpétuant le meilleur des pratiques de votre organisation tout en profitant des talents originaux des nouvelles arrivantes. Il vous faut parvenir à un équilibre entre vos pratiques gagnantes éprouvées et le sang neuf, équilibre qui servira le mieux possible votre mission et le développement de votre organisation. En fait, il s'agit d'une période de probation mutuelle et non seulement de celle de la nouvelle collaboratrice.

Si plusieurs nouvelles personnes se joignent en même temps à votre équipe, celle-ci devra faire son deuil de ses anciennes pratiques et de sa cohésion. Tout le processus de développement d'un groupe est alors à reprendre, ainsi qu'on l'a vu à la section 5. En revanche, l'arrivée de une ou deux nouvelles personnes doit donner lieu à un processus d'intégration plus simple.

La nouvelle employée ne sera pas telle que vous l'avez perçue à son premier contact avec votre organisation au moment de l'entrevue de sélection. Ses perceptions initiales de votre organisation auront rapidement déclenché chez elle des mécanismes d'adaptation pour qu'elle s'acclimate à son nouvel environnement physique et psychosocial. L'équipe en place devra aussi s'adapter à elle. Rien ne se joue d'un seul côté. De part et d'autre, on fera appel à l'ouverture, au goût du risque et à la confiance en ses propres talents.

La réussite de cette opération complexe et incertaine de l'intégration comporte des interventions à trois niveaux de la réalité de votre organisation.

Le premier palier est celui des *informations de base* pour travailler correctement dans votre organisation. Ces informations ont avantage à être présentées clairement et simplement dès les premiers jours. Elles comprennent notamment la description de tâches, les horaires de travail, les outils essentiels, l'environnement physique, les adresses électroniques et les numéros de téléphone importants.

Le deuxième niveau, que l'on ignore trop souvent, est celui des *secrets organisationnels*, de la petite histoire de l'organisation et de ses membres. Nous ne croyons pas qu'il soit utile de transmettre d'entrée de jeu tous ces renseignements et toutes ces rumeurs aux nouvelles arrivées, même si certains sont croustillants. En effet, la transmission de toutes ces données, qui comprennent très souvent des stéréotypes plus ou moins fondés, contribuerait encore plus à stigmatiser certaines personnes, les empêchant d'aspirer à de nouveaux rôles dans l'équipe en construction. On doit pourtant garder ces informations disponibles afin de répondre, au besoin, aux questions des nouvelles venues.

Le troisième niveau concerne les *façons de faire*, les habitudes, la culture organisationnelle. C'est en fait à ce niveau que se joue l'intégration. Le défi est de parvenir à un véritable partage, puisqu'il s'agit d'une opération mutuelle qui appelle l'engagement des deux parties, anciennes et nouvelles, et la mise en place d'un climat de travail qui favorise les liens entre ces deux parties.

D'une part, la nouvelle arrivée a intérêt à manifester les attitudes suivantes :

- respecter son nouvel environnement, avec ses qualités et ses imperfections, et éviter de le comparer avec ce qu'il y a ailleurs ;
- tenter de connaître son nouvel environnement le mieux possible en posant toutes les questions nécessaires pour bien le comprendre ;
- prendre des initiatives et faire des suggestions, sans se décourager ;
- résister à l'envie, souvent trop facile à court terme, d'adopter le rôle tel qu'il est proposé ou imposé, privant ainsi le milieu de ses talents originaux[1].

---

1. Voir la section 1.

D'autre part, chaque membre de l'équipe en place est invitée à :

- répondre le plus complètement possible aux questions posées par la nouvelle arrivée ;
- garder en tête qu'une nouvelle équipe est à construire, du moins en partie ;
- manifester clairement ouverture, cordialité et accueil de l'individualité de la nouvelle arrivante avec ses talents propres ;
- accepter de changer, de plonger vers un inconnu relatif, de retrouver le goût du risque (remplacer le « pourquoi » par le « pourquoi pas ») ; c'est un signe de maturité !

Pour assurer des rapports harmonieux et constructifs entre ces deux parties, il est souhaitable d'instaurer un climat favorable à la collaboration. Ainsi, sous l'éclairage du phare de guidage que constitue la mission commune à partager, avec la couleur locale propre à votre organisation, le climat de travail doit favoriser :

- le respect mutuel de la diversité ;
- le partage de l'information (la nouvelle arrivante a aussi des choses à vous apprendre) ;
- le soutien mutuel dans l'action quotidienne.

Durant cette phase de transformation partielle de l'ancienne équipe, votre organisation vit une phase de « culture de transition », un peu comme dans les communautés qui accueillent des immigrantes. Vous avez alors besoin de « passeurs culturels » (mentorat, coaching, etc.) qui sont résolument à l'écoute des besoins des nouvelles employées. Ce jumelage réussit habituellement quand il est mis en place à la suite d'un choix mutuel des partenaires concernées et non pas d'une désignation. Malgré tout, l'intégration demeure un processus complexe, collectif et progressif, qui ne se complète pas en quelques semaines. D'où l'importance d'y penser longtemps à l'avance et de bien comprendre le rôle de la mentore.

Un mentorat efficace

Les recherches en gestion démontrent que les relations de mentorat facilitent la socialisation des nouvelles cadres, réduisent leur taux d'absence pour maladie et enrichit de manière significative la tâche des plus anciennes. Les relations de mentorat favorisent le transfert des connaissances, des principes et des valeurs qui fondent la mission de l'organisation. De cette manière, le mentorat contribue grandement à la performance et à l'efficacité des gestionnaires, de même qu'à leur qualité de vie au travail. Dans les organisations performantes le mentorat fait partie des fonctions courantes de gestion.

Le mentorat est une relation soutenue d'apprentissage entre une personne qui offre défis, soutien, encouragement et qui partage son expérience, ses connaissances et sa sagesse avec une autre personne disposée à bénéficier de cet échange pour enrichir son cheminement professionnel.

La mentore aide sa protégée à clarifier ses intentions et ses buts personnels en lui posant des questions qui suscitent sa réflexion. La mentore est inspirante; elle accompagne sa protégée dans son cheminement. Elle ne lui dit pas quel chemin prendre, elle éclaire les chemins que la protégée songe à prendre. La mentore est capable de laisser sa protégée affronter les écueils nécessaires à son apprentissage et à son développement. La mentore est la personne-ressource la mieux placée pour faciliter le soutien professionnel, le cheminement de carrière, l'orientation politique et l'introduction à un réseau de contacts.

Les fonctions professionnelles

La mentore aide à l'apprentissage de la culture organisationnelle et à la mise en lumière des normes. Cet éclairage aide la protégée à connaître son environnement, à s'y adapter et à trouver la meilleure adéquation entre ses ressources et les caractéristiques du milieu.

- La mentore est parfois appelée à enseigner. Elle transmet des connaissances, suggère des lectures, fournit des grilles d'analyse.
- Par moments, la fonction de la mentore devient très proche de celle de l'accompagnatrice professionnelle (coach).
- Étant elle-même déjà connue, la mentore contribue également à augmenter la visibilité de la protégée dans le réseau et en dehors de l'organisation. Elle peut l'introduire auprès de personnes-ressources.
- Enfin, en cas d'erreur stratégique, de geste maladroit ou de décision contestable, la mentore peut offrir soutien et protection.

Les fonctions psychosociales

La mentore aide la protégée à développer un meilleur sens de la compétence, une identité et une estime de soi solides. Ces acquis permettent à la protégée d'accroître son efficacité comme gestionnaire. Pour bien remplir son rôle à son égard, la mentore doit présenter les caractéristiques suivantes:

- La mentore est elle-même un modèle d'authenticité, de compétence et d'efficacité.
- La mentore offre soutien et encouragement dans les moments difficiles.
- Elle peut à l'occasion s'engager dans une forme de relation d'aide.
- Dans le meilleur des cas, la relation de mentorat se transforme avec le temps en une relation amicale.

Comment choisir une mentore

La confiance et le respect mutuels ainsi qu'une certaine résonance (des atomes crochus) entre la mentore et la protégée sont essentiels au succès d'une relation de mentorat. Il arrive que cela « clique » immédiatement, mais la plupart du temps la relation se développe au fil du temps, grâce à l'engagement des deux parties dans le processus. Pour débuter, cherchez une mentore qui :

- est centrée à la fois sur la tâche et sur les personnes ;
- est engagée activement dans la formation et le perfectionnement ;
- est perçue comme ayant un certain succès dans son domaine ;
- connaît les ressources à l'intérieur et à l'extérieur de l'organisation ;
- connaît la mission et les objectifs de l'organisation, la culture et les politiques, les enjeux de pouvoir, les relations sociales, etc.

Lorsque vous interviewez une mentore éventuelle, posez-vous mentalement les questions suivantes.

- Possède-t-elle des habiletés de communication interpersonnelle élevées ?
- Dispose-t-elle d'un réseau social étendu et varié de collègues, de personnes-ressources, etc. ?
- A-t-elle déjà animé de grands groupes ou présidé des comités ou des groupes de travail ?
- Possède-t-elle une compétence professionnelle ou technique particulière qui est intéressante ou complémentaire à mes habiletés ?
- Son personnel et ses collègues cherchent-elles à avoir son avis ?
- Reconnaît-elle la contribution des personnes qui l'entourent ?
- Prend-elle des risques et assume-t-elle la responsabilité de ses échecs ?
- A-t-elle de l'expérience en tant que mentore ?

En cours de route, vous devriez remarquer que votre mentore…

- ne vise jamais à vous imposer sa grande expérience ;
- croit à l'apprentissage continu à partir de l'expérience ;
- est bonne communicatrice : elle pose des questions ouvertes significatives et écoute attentivement pour s'assurer de bien comprendre ;
- intègre la pratique et la théorie ;
- agit de manière à ce que sa conduite et son discours coïncident ;

- est organisée, efficace et gère bien son temps et ses retours d'appels;
- est avare de conseils; quand elle en donne, ses conseils sont judicieux;
- fournit aide et encouragement.

La responsabilité de la mentore est d'inspirer, de soutenir, faire cheminer, donner du feed-back. La responsabilité de la protégée est de réfléchir, questionner, discuter.

Pour en savoir plus...

Houle, R. (1995). *Des mentors pour la relève*, Montréal, Méridien.

CONCLUSION

Au terme de ce bref parcours, nous espérons vivement que les réflexions que vous avez faites en notre compagnie vous ont été utiles. Tant pour le mieux-être de votre organisation que pour votre développement personnel, nous vous souhaitons de modeler votre rôle de gestionnaire selon votre personnalité, vos ressources et vos valeurs. Tout le monde en profitera. Nous estimons que vous êtes maintenant convaincus que gérer de manière efficace et avec plaisir, c'est « créer sa gestion au quotidien ».

Dans un monde en changement rapide, c'est bien plus une « vision stratégique », à l'affût des signaux de votre environnement et des talents de vos collaborateurs, qu'il vous faut mettre au point qu'une

« planification stratégique » rapidement inadéquate et dépassée. Vous ne vous méfierez jamais assez des solutions toutes faites, à la mode du jour, applicables partout et n'importe quand. Vous êtes unique et votre organisation l'est aussi.

Si vous désirez clarifier certains de nos propos, si vous avez des questions, si vous souhaitez discuter de certains points ou encore si vous estimez qu'une rencontre serait pertinente, n'hésitez pas à nous joindre. Notre principal intérêt est de mettre à votre disposition nos connaissances et notre expérience. À cet égard, la communication par le dialogue est cruciale.

Bonne suite !

Normand Wener
Normand.Wener2@USherbrooke.ca

Solange Cormier
info@solangecormier.com
www.solangecormier.com